D0273825

LE CANADA
ET LA GUERRE

Essai sur l'engagement
militaire canadien
de Laurier à Harper

Sam Haroun

LE CANADA
ET LA GUERRE

*Essai sur l'engagement
militaire canadien
de Laurier à Harper*

SEPTENTRION

Pour effectuer une recherche libre par mot-clé à l'intérieur de cet ouvrage, rendez-vous sur notre site Internet au www.septentrion.qc.ca

Les éditions du Septentrion remercient le Conseil des Arts du Canada et la Société de développement des entreprises culturelles du Québec (SODEC) pour le soutien accordé à leur programme d'édition, ainsi que le gouvernement du Québec pour son Programme de crédit d'impôt pour l'édition de livres. Nous reconnaissons également l'aide financière du gouvernement du Canada par l'entremise du Programme d'aide au développement de l'industrie de l'édition (PADIÉ) pour nos activités d'édition.

Chargé de projet : Charles A. Carrier

Révision : Solange Deschênes

Mise en pages et maquette de couverture : Pierre-Louis Cauchon

Illustration de la couverture : *Allons-y : war propaganda campain*, Wilcox, BAC, C-087522.

Si vous désirez être tenu au courant des publications
des ÉDITIONS DU SEPTENTRION
vous pouvez nous écrire par courrier,
par courriel à sept@septentrion.qc.ca,
par télécopieur au 418 527-4978
ou consulter notre catalogue sur Internet :
www.septentrion.qc.ca

ASSOCIATION NATIONALE DES ÉDITEURS DE LIVRES

Membre de l'Association nationale des éditeurs de livres

NOTE LIMINAIRE

CET ESSAI N'EST pas un ouvrage d'histoire militaire. C'est une réflexion politique sur l'approche canadienne de la guerre. Pourquoi et dans quelles conditions le Canada a-t-il participé activement à six guerres en l'espace d'un siècle? Il est, aujourd'hui encore, engagé en Afghanistan. Pourquoi et dans quelles conditions a-t-il refusé d'appuyer l'expédition anglo-française en Égypte en 1956 et de participer à l'invasion anglo-américaine de l'Irak en 2003?

Au cours de ces guerres, le soldat canadien a accompli sa tâche avec courage et dignité. Puisse-t-il savoir que les hommes et les femmes qui viennent des quatre coins du monde pour s'établir au Canada et y jouir des droits et des libertés s'inclinent devant son sens du devoir et du sacrifice!

INTRODUCTION
Les paradoxes canadiens

> « Il [J. McCallum, ministre de la Défense, s'adressant
> à un ministre afghan] décrivit le Canada comme un
> pays "entre les États-Unis et l'Europe ; il a un passé
> de gardien de la paix et de pourvoyeur d'aide huma-
> nitaire, et n'a jamais été ni une puissance coloniale
> ni un empire de type moderne". »
>
> Stein et Lang,
> *The Unexpected War : Canada in Kandahar*

A<small>U COMMENCEMENT ÉTAIT</small> l'Empire, « un empire
qu'aucun empire dans le monde ne pourra jamais
surpasser en grandeur, en population, en richesse[1] ».
Maître des isthmes et des détroits, des mers et des océans,
il était, pour la moitié de l'humanité, l'alpha et l'oméga.
Il s'appelait *Britania*, Victoria Regina trônait sur le
monde, et le monde se mettait à l'heure de Greenwich.

Le Canada en faisait partie, mais jouissait d'une certaine autonomie. Sa souveraineté s'arrêtait au seuil de la
guerre et de la paix : tributaire de l'Empire pour sa
défense, il ne disposait ni d'une armée ni d'une marine.
Dans le dernier tiers du XIXᵉ siècle, sous l'impulsion de
Gladstone*, libéral et pacifiste, l'Angleterre avait retiré les
troupes anglaises des dominions, laissant à ceux-ci le soin

---

1. Joseph Chamberlain, ministre anglais des Colonies (1895-1903),
   impérialiste, cité par Maurice BAUMONT, dans *L'Essor industriel et
   l'impérialisme colonial*, PUF, Paris, 1965, p. 216.

* À la fin de l'ouvrage, on trouvera un glossaire comprenant les mots
  qui sont suivis de ce symbole.

de se défendre. Le Canada en profita pour se constituer une milice. Pour George-Étienne Cartier*, « trois éléments sont indispensables pour constituer une nation : la population, le territoire et la mer. Mais la couronne de l'édifice – aussi indispensable que les trois précédents – est la force militaire. Aucun peuple ne peut revendiquer le titre de nation s'il ne possède pas l'élément militaire, l'instrument de la défense[2] ».

Mais, en même temps (1867-1868) que Cartier inscrivait la formation d'une armée dans un cadre nationaliste et autonomiste, le colonel Garnet Wolseley, intendant militaire adjoint au Canada, pressait le gouvernement canadien d'« adopter une politique militaire sur laquelle les dirigeants du "Vieux Pays" [l'Angleterre] pourraient compter en cas de besoin[3] ». Dès sa naissance[4], le Canada était aux prises avec deux visions de la chose militaire : l'une, celle de Cartier, subordonnait la force armée à une politique nationale, l'autre, celle de Wolseley, envisageait une force canadienne comme auxiliaire de la puissance impériale. Toutes les deux se situaient par rapport à l'Empire ; toutefois, toutes les deux révélaient un fossé non seulement en matière de défense, mais plus profondément sur la façon de concevoir le Canada au XXᵉ siècle. Les Canadiens anglais, notamment ceux d'entre eux – et ils étaient nombreux – qui étaient nés en Angleterre et qui étaient arrivés récemment au Canada, croyaient appartenir à une nation britannique d'Amérique du Nord, appelée à façonner les destinées de l'Empire sur ce continent, alors que les Canadiens français, établis au

---

2. Cité par Richard A. Preston, dans *Canada and Imperial Defence*, University of Toronto Press, 1967, p. 53.
3. *Ibid.*
4. En 1867, par l'Acte de l'Amérique du Nord britannique (AANB), le Canada devenait une nation constituée.

Canada depuis trois siècles et n'ayant avec *leur* mère patrie que des rapports distants, étaient persuadés qu'une petite nation nord-américaine comme la leur devait s'occuper de ses propres affaires et s'épargner les aventures guerrières dans de lointaines contrées.

La guerre ? Associer le Canada à la guerre peut paraître incongru quand on pense au rôle considérable que ce pays a joué en faveur de la paix : créateur des Casques bleus en 1957, ce qui a valu à son ministre des Affaires extérieures, Lester B. Pearson, le prix Nobel de la paix, le Canada est le plus actif et le plus constant avocat de l'ONU, et il participe à la plupart des forces d'interposition entre belligérants dans le monde.

Pourtant, le Canada est intervenu six fois – à divers degrés – dans des conflits armés qui ont affligé la planète : la guerre des Boers, les deux guerres mondiales, les guerres de Corée, du Golfe et d'Afghanistan. Il faut ajouter qu'il a refusé de s'engager dans deux conflits armés : Suez en 1956 et l'Irak en 2003. Ce rapport particulier du Canada avec la guerre est d'autant plus étonnant que ce pays n'a pas été une puissance coloniale et n'aspire pas à l'Empire. Même son indépendance s'est faite de la façon la plus pacifique et la plus institutionnelle qui soit. D'où provient ce rapport ? Pourquoi et dans quelles conditions ce pays a-t-il participé à tant de conflits en un siècle ? Pourquoi a-t-il refusé de le faire en deux occasions ? Quelle ligne directrice sous-tend les mouvements en faveur ou contre l'intervention ? Et pourquoi aborder le sujet de la guerre en lien avec un pays qui n'en est ni le champion ni le résultat ?

Parce que c'est la guerre qui a défini la politique extérieure du Canada et non l'inverse, et que c'est encore la guerre qui a révélé, autant que les différences culturelles, les divisions de son peuple – ou plutôt de ses deux peuples constituants. De 1900 à 1945, le Canada a participé à trois guerres (Boers et deux guerres mondiales) sans avoir de politique extérieure ni même avoir envisagé d'autre politique que celle de complaire à l'Empire. *Pendant longtemps, le Canada a fait la guerre par affinité, non par nécessité!* Il y a quelque chose d'ironique dans une illustration de ce paradoxe : durant la guerre des Boers, la *colonie* du Canada aide la métropole impériale à conquérir la *colonie* d'Afrique du Sud. Le rapport à l'Empire est à la source de l'approche canadienne de la guerre.

Les guerres du Canada ne sont pas les siennes, ce sont celles des autres; elles n'ont pas été décidées ni entreprises à Ottawa, mais à Londres et, plus tard, à Washington : tel est le deuxième paradoxe canadien. Ni la sécurité du territoire, ni les intérêts commerciaux, ni la dignité de la nation n'ont jamais été en jeu. Sollicité par l'Empire britannique ou par les États-Unis d'Amérique (sous le couvert de l'ONU ou non), le Canada a toujours décidé en fonction des autres : le rapport à la guerre devient synonyme de rapport à l'Empire, que celui-ci s'appelle Britania hier ou superpuissance aujourd'hui.

La relation impériale avec l'Angleterre procède du passé colonial, celle avec les États-Unis, de la géographie et de la politique. Le Canada ne pouvait esquiver l'injonction de l'empire ni ignorer les pressions de la superpuissance. L'indifférence lui est interdite : il peut décliner l'offre, résister à la pression, abaisser les exigences de la demande, mais il ne saurait s'y dérober. Qu'il dise oui, et sa souveraineté en est altérée, ses forces militaires relevant d'une stratégie qui n'est pas la sienne et qu'il ne maîtrise pas. Qu'il dise non, sa souveraineté s'en trouve confortée, et son éclat rayonne dans le monde! De la guerre des Boers (fin du XIXᵉ siècle) à la guerre d'Afghanistan (début du XXIe siècle), sous l'Empire britannique ou aux côtés de la superpuissance, le même scénario se répète. Et de Suez à l'Irak, les rapports avec Londres et Washington se sont refroidis, pour cause de refus, sans heureusement tourner au psychodrame.

Le troisième paradoxe résulte *des incidences qu'exercent, les unes sur les autres, les guerres et les opinions publiques canadiennes*. Peu enthousiastes à l'idée de guerroyer pour des raisons qui leur sont étrangères, les Québécois éprouvent une instinctive suspicion à l'égard de ces guerres décidées ailleurs : pour tout dire, ils ne veulent pas se battre pour l'Empire ou, du moins, pour ce qu'ils perçoivent comme tel. Henri Bourassa affirma en 1917 : « Les Canadiens français sont loyaux envers la Grande-Bretagne et vouent une amitié à la France ; mais ils ne reconnaissent à aucun de ces deux pays ce qui est considéré, dans tout pays, comme un devoir exclusivement national : l'obligation de prendre les armes et d'aller au combat… Les Canadiens d'origine britannique sont devenus plutôt ambivalents quant à leur allégeance… Les Canadiens français sont demeurés, et veulent demeurer exclusivement Canadiens[5]. » Aussi, et quoique les questions de politique extérieure aient généralement peu influencé les élections fédérales ou provinciales au Québec, dès qu'il s'agit de la guerre, les passions électorales y ont été attisées à l'encontre du parti au pouvoir qui avait entraîné le pays dans la guerre. Après la conscription de 1917, décidée par le Parti conservateur, les Québécois ont élu des libéraux pendant vingt ans jusqu'à la deuxième crise de la conscription, celle de 1942, déclenchée par le Parti libéral. Ils ont alors opté pour une majorité conservatrice (Union

---

5. Cité dans *Culture stratégique et politique de défense. L'expérience canadienne*, sous la direction de Stéphane ROUSSEL, Athéna éditions, Montréal, 2007, p. 102.

nationale) ininterrompue pendant quinze ans à l'Assemblée nationale.

Tout autre est le sentiment des Anglo-Canadiens, plus portés à soutenir l'Empire britannique, leur matrice originelle, et plus tard la superpuissance américaine, substitut à l'empire, rempart contre le communisme, tous deux proches d'elle par la langue et la culture. Autant les Québécois se méfient des trompettes de la guerre qu'ils assimilent à la gloire de l'Empire, autant les Anglo-Canadiens éprouvent le réflexe quasi atavique de la solidarité impériale. Alors que, pour Henri Bourassa, « l'impérialisme, voilà l'ennemi », pour Arthur Meighen et les orangistes de l'Ontario, « [...] advienne que pourra, le monde devrait-il s'effondrer, l'Angleterre restera debout, résolue, indomptable[6] ». Il est évident que « [...] cette relation reflétait l'attachement émotif à la *patria*, la terre qui les a vus naître (ou qui avait vu naître leurs parents), au point où les Canadiens anglais n'hésitaient pas à se référer à l'Empire en parlant de *Mother Country*[7] ».

Toutefois, après la Deuxième Guerre mondiale, la relation impériale n'est plus inconditionnelle de la part des Anglo-Canadiens ni la guerre, rejetée *ex abrupto* par les Québécois. Ont contribué à cette inflexion de l'opinion la présence du Canada aux côtés des Alliés victorieux consacrée par la création de l'ONU, le déclin des empires coloniaux et l'émergence de puissances moyennes, dont le Canada, aspirant à jouer un rôle actif dans les relations internationales. C'est surtout la rencontre d'un homme d'État, Lester B. Pearson, et d'une institution, l'ONU, au

---

6. Cité par Joseph Levitt, dans l'introduction du livre *The Crisis of Quebec, 1914-1918*, p. ix, de E. Armstrong, Carleton Library, McLelland and Stewart Limited, Toronto, 1974.
7. S. Roussel, *op. cit.*, p. 100.

début de la guerre froide, qui permet au Canada d'assujettir la relation impériale et le rapport à la guerre aux exigences d'une diplomatie fondée sur l'esprit de reconnaissance et non sur les démonstrations de puissance. Dès lors, le Canada ne fera plus la guerre qu'à l'intérieur des Nations unies (une seule fois au Kosovo, à l'intérieur de l'OTAN), à l'issue de résolutions certifiant la violation par un pays du droit des gens et autorisant l'usage de la force en la circonstance. Bien entendu, le Canada demeure un solide allié de la Grande-Bretagne et des États-Unis, mais il entend être un protagoniste maître de son action et l'inscrire dans un cadre réglé par le droit et les instances multilatérales, lié par des traités et reconnu comme légitime. Plus d'expéditions coloniales comme du temps des Boers et de Suez ! Le Canada est un allié, non un auxiliaire. Le rapport à l'Empire joue encore, mais le Canada préserve un tant soit peu son amour-propre national.

La relation entre le Canada et l'Empire ne finit pas d'engendrer des paradoxes. Le réflexe nationaliste des Canadiens français visait, à terme, l'indépendance du pays, alors que le réflexe impérial des Canadiens anglais entendait soutenir l'Angleterre. Or, *plus le Canada s'engageait dans les guerres de l'Empire, plus il se rapprochait de l'indépendance : l'engagement des Canadiens anglais aux côtés de l'Empire a finalement conduit à atteindre l'objectif des Canadiens français.* Plus les Canadiens se distinguaient sur les champs de bataille, plus ils se sentaient capables de s'affirmer et plus ils se détachaient de l'Empire : le cordon ombilical s'est effiloché au fur et à mesure que se multipliaient les exploits militaires des Canadiens. En définitive, l'aspiration de Bourassa à l'indépendance aura été réalisée grâce à l'engagement de Borden aux côtés de l'Empire.

Enfin, *le Canada est l'une des rares colonies dans l'histoire à avoir obtenu son indépendance en combattant aux côtés de l'Empire et non contre lui.* Avec l'Australie et la Nouvelle-Zélande, le pays jouissait du statut de dominion, membre de la famille impériale, Blanc parmi les Blancs, enfant lointain certes, mais si proche de la métropole par le sang, la langue, les institutions. Un peu comme des vases communicants, on décèle une complicité sous-jacente, cimentée par des liens beaucoup plus solides que l'intérêt politique ou mercantile, une osmose entre la métropole et le dominion alimentée par le sentiment d'appartenir à la même civilisation.

Le 13 novembre 2000, au Lord Mayor's Banquet, le premier ministre Tony Blair déclara : «L'objectif de la politique étrangère d'une nation devrait être le pouvoir, la force et l'influence au service des intérêts et des croyances de cette nation[8].» Depuis Pearson, les intérêts et les croyances du Canada se fondent, dans un esprit de reconnaissance, sur la légitimité de l'action internationale et l'observation des chartes et des traités : ils n'excluent pas la guerre, mais l'inscrivent dans un processus *politique et institutionnel* marqué par le respect du droit des gens. La guerre n'est plus que «le prolongement de la politique par d'autres moyens[9]». Le chemin parcouru depuis la guerre des Boers est immense quand on connaît la proximité géographique du Canada avec les États-Unis et les pressions de tout ordre auxquelles le pays doit faire face de la part de son seul voisin. Au moins, les forces canadiennes n'ont pas ni ne doivent avoir l'impression d'agir comme supplétifs de l'Empire.

---

8. Cité par Trevor Harris, dans *Une certaine idée de l'Angleterre*, Armand Colin, Paris, 2006, p. 74.

9. Carl von Clausewitz, *De la guerre*, Les Éditions de Minuit, Paris, 1955, p. 67.

CHAPITRE I
La gloire de l'Empire

« Si un jour l'Angleterre vient à être en danger, que le clairon sonne, et malgré la faiblesse de leurs moyens, les colonies voleront à son secours. »

Wilfrid Laurier, 18 juin 1898, discours à Liverpool

« Du Pacifique à l'Atlantique, le Canada est uni dans sa détermination à défendre l'honneur et les traditions de notre empire. »

Duke of Connaught, gouverneur général, au roi d'Angleterre, le 4 août 1914, jour de la déclaration de guerre contre l'Allemagne

« Nous n'avons aucune raison de faire la guerre et rien à y gagner… Par crainte de la France ou pour rendre service à l'Angleterre, nous jouerions le rôle d'un prince hindou vassal de l'Angleterre, forcé de faire la guerre avec elle. »

Bismarck, en 1853, conseillant à son roi Frédéric-Guillaume IV de résister aux injonctions des Habsbourg de participer à la guerre de Crimée

Le conflit des Boers éveilla le Canada à la guerre

SÉPARÉE DU CANADA par 75 degrés de latitude et six fuseaux horaires, l'Afrique du Sud a le malheur de posséder des richesses considérables et d'être située sur une route maritime : vers l'océan Indien par le cap Horn, d'une extrême importance stratégique pour l'Empire. Entre les fermiers Boers, réfractaires à toute mainmise anglaise sur leur territoire, et l'empire britannique, au faîte de sa puissance et avide de richesses, l'affrontement était inévitable : c'était l'époque de Rudyard Kipling et du *Rule Britania*, et malheur à quiconque se dressait devant la superpuissance d'alors.

Au jubilé de diamant de la reine Victoria en 1897, Chamberlain avait invité tous les premiers ministres et les dignitaires de l'Empire et, au cours de la conférence coloniale tenue à cette occasion, leur exprima sa volonté de créer un conseil impérial qui comprendrait les représentants des dominions, en vue de mieux atteler les montures coloniales au carrosse impérial. Car, à la fin du XIXᵉ siècle, en Angleterre, « l'expansionnisme est en faveur : il faut étendre les frontières de l'Empire. S'opposer à ses progrès serait faire obstacle à la volonté divine. Un idéalisme romantique, combiné avec le mercantilisme traditionnel, grandit en même temps que se développe le culte de l'action, l'idée de la race et de la solidarité anglo-saxonne[1] ». Il y avait aussi le sentiment que les dominions, qui bénéficiaient grandement des retombées commerciales de l'Empire, devaient partager le fardeau de sa défense. Non seulement les dominions étaient censés s'occuper de leur propre défense, mais ils devaient aussi contribuer en hommes et en argent à l'effort militaire de la mère patrie. Le premier ministre Laurier• se cantonna dans une prudente réserve, ne promettant rien, affichant une naïve ignorance de la chose militaire : « Je m'intéresse peu aux affaires militaires, même dans ma propre province[2]. »

Mais Laurier ne pouvait rejeter du revers de la main l'appel de l'Empire : « Nous étions banquetés par la royauté, l'aristocratie et la ploutocratie, et on ne parlait

---

1. Maurice BAUMONT, *op. cit.*, p. 215.
2. Cité par PRESTON, *op. cit.*, p. 239.

que de l'Empire, l'Empire, l'Empire[3]. » C'étaient « les hallucinations de l'impérialisme du jubilé[4] ». De longs mois durant, Laurier espéra que l'affaire des Boers d'Afrique du Sud serait réglée par la diplomatie britannique et avec le concours des armes britanniques : une querelle entre la métropole et un territoire aux antipodes du Canada. Mais Chamberlain ne l'entendait pas ainsi : tout à ses ambitions impériales, il voulait, en même temps, contrôler l'Afrique du Sud et entraîner les dominions dans l'entreprise. Sertir le diamant africain dans la couronne de Victoria comme Disraeli* avait proclamé celle-ci impératrice des Indes serait son cadeau du jubilé célébré un an plus tôt avec tout le faste dû à la gloire de Britania.

Sollicité par Londres, Laurier hésitait encore, pris entre les va-t-en-guerre de l'Ontario et les isolationnistes du Québec. Il faut dire que la question de la participation des dominions aux guerres de l'Empire avait déjà été soulevée : en 1885, John A. MacDonald* avait refusé d'envoyer des troupes canadiennes soutenir les Britanniques au Soudan. Car, disait-il, « pourquoi devrions-nous sacrifier nos hommes et gaspiller notre argent dans cette malheureuse entreprise[5] ? » Même Lord Minto, le gouverneur général, pourtant proche des impérialistes, comprenait les hésitations de Laurier : « Du point de vue d'un homme d'État canadien, écrivait-il à son frère, je ne vois pas pourquoi ils devraient engager leur pays dans une aventure coûteuse en vies et en argent pour un conflit ne menaçant pas la sauvegarde de

---

3. *Ibid.*, p. 239-240.
4. John W. Holmes, cité par S. ROUSSEL, *op. cit.*, p. 101.
5. Cité par Barbara ROBERTSON, dans *Sir Wilfrid Laurier*, Quarry Press, Kingston, 1971, p. 88.

l'Empire[6]. » Malgré quoi, Chamberlain maintint la pression sur Laurier, objet aussi des ardeurs impériales des Canadiens anglais, encouragés par le général Hutton, commandant de la milice, et par Sam Hughes, un orangiste de l'Ontario, prêts à lever des troupes sur-le-champ. D'ailleurs, «très vite, Toronto fut considérée comme le foyer du sentiment impérial canadien[7]». Mois après mois, Laurier du affronter le tir croisé de l'extérieur (Londres) et de l'intérieur (Toronto) : du War Office à la branche canadienne de la Ligue de l'Empire britannique, de l'Association de l'Afrique du Sud impériale à la presse ontarienne et même au *Star* de Montréal, tout ce que l'Empire comptait de militaires, d'amiraux, d'associations et de plumitifs, se mobilisa pour noyer Sir Wilfrid de suppliques et d'objurgations, de caresses et d'injonctions.

Laurier finassait toujours. Pour apaiser les passions, il fit voter une résolution exprimant la sympathie du Canada à l'égard des efforts du gouvernement de Sa Majesté «pour obtenir justice au Transvaal». Il espérait ainsi gagner du temps et différer l'échéance de la décision. Mais les Boers résistaient avec succès aux assauts des Britanniques, ce qui enragea d'autant les loyalistes exaspérés par les atermoiements de Laurier; même le libéral *Globe and Mail* soutint que le choix du gouvernement était simple : «soit il envoyait des troupes, soit il démissionnait[8]». Pour Laurier, il n'était pas question d'envoyer *formellement* un contingent sans l'approbation du Parlement, et le Québec ne voulait rien savoir d'une guerre étrangère au fin fond du monde, pour de douteux intérêts mercantiles. De la sorte, tenir un débat au

---

6. *Ibid.*, p. 90.

7. Richard Preston, *op. cit.*, p. 109.

8. S. Roussel, *op. cit.*, p. 101.

Parlement serait catastrophique pour le gouvernement qui avait besoin de la coalition Québec-Ontario pour se maintenir au pouvoir et éviter la division nationale.

Finalement, à l'automne 1899, le premier ministre signa un décret en conseil qui autorisait l'envoi de volontaires en Afrique du Sud, équipés et transportés aux frais d'Ottawa. Un authentique exercice d'équilibrisme qui ne satisfit ni les Ontariens déçus par la tiédeur de Laurier ni les Québécois rétifs à tout engagement militaire outre-mer, mais qui apaisait, pour le moment, les passions des uns et les réticences des autres! Le compromis consista dans l'envoi *officieux* de volontaires (le mot *contingent* était proscrit et le recours au vote parlementaire exclu) et dans l'affirmation que ceci ne constituait pas un précédent.

Dans ce concert de récriminations, une voix s'éleva, celle d'Henri Bourassa, lucide, originale. Lucide parce qu'il ne croyait pas à la clause de sauvegarde concernant le *précédent*: pour lui, « le précédent, c'est le fait accompli[9] »; aussi, en *capitulant* devant l'Empire et l'Ontario, Laurier ouvrait la voie à toute demande provenant de Londres, y compris la *conscription*: le mot était prononcé, il serait chargé d'avenir et de psychodrames. Originale parce que Bourassa mettait de l'avant l'idée que la décision de faire la guerre ne devrait être prise en fonction ni des instincts impérialistes des Canadiens anglais ni des ferveurs nationalistes des Canadiens français, mais selon un *principe constitutionnel* de gouvernement: « Je suis un libéral de l'école anglaise, je suis un disciple de Burke, Fox, Gladstone… Je veux que la constitution de mon pays soit respectée… Ni le secrétaire aux Colonies ni aucun membre du gouvernement britannique

---

9. Cité par Joseph SHULL dans *Laurier, The First Canadian*, Macmillan of Canada, Toronto, 1965, p. 390.

ni aucun représentant du gouvernement impérial au Canada n'ont le droit de dire ce que doit être la politique d'un peuple libre. Il est de notre devoir en tant que Parlement libre, dépositaire de la souveraineté du peuple, de dire ce que sera la politique de ce peuple[10]. » Pour Bourassa, l'envoi de volontaires violait le principe *No taxation without representation*[11] puisque « l'impôt du sang constitue la forme la plus lourde des contributions politiques[12] » : comme le Canada n'avait aucun représentant au sein des instances impériales, la politique militaire de l'Angleterre ne saurait imposer aucune obligation au Canada. Nous ne faisons la guerre que si nous le décidons nous-mêmes, ou, à tout le moins, si nous prenons part à la décision : tel était, en substance, le principe constitutionnel avancé par Bourassa. Un demi-siècle plus tard, Lester B. Pearson subordonnera toute participation canadienne à la guerre au principe institutionnel d'une autorisation préalable par l'ONU de l'usage de la force. Au fond, le libéral et nationaliste Laurier était d'accord avec Bourassa, mais l'homme d'État devait composer avec les réalités, c'est-à-dire amadouer l'Ontario sans désespérer le Québec. Quand il tenta d'infléchir la position de Bourassa en lui disant : « Mon cher Henri, les circonstances sont difficiles », la réplique, cinglante, ne tarda pas. « C'est parce qu'elles sont difficiles que je vous demande de rester fidèle à votre parole. Gouverner consiste à avoir le courage, à un moment donné, de risquer le pouvoir pour sauver un principe[13]. »

---

10. *Ibid.*, p. 391.
11. À l'origine de l'indépendance et du fondement de la constitution des États-Unis.
12. Cité par Stephen KELLY, *Les Fins du Canada*, Boréal, 2001, p. 100-101.
13. Cité par SCHULL, *op. cit.*, p. 384.

Mais Chamberlain n'avait ni ces états d'âme ni ces débats en Chambre. Il enjoignit aux gouverneurs des dominions (sans en informer les gouvernements, ce qui était contraire aux usages puisque le gouverneur *régnait, mais ne gouvernait pas*) d'accélérer le recrutement des volontaires. « Ceci n'était pas seulement... une requête britannique officielle pour des contingents coloniaux ; c'était une tentative délibérée de presser les gouvernements coloniaux peu diligents à lever des troupes en appelant au-dessus de leurs têtes le nombre croissant de militants impérialistes de forcer la main à leurs gouvernements[14]. » Mais, à mesure que la guerre se prolongeait, l'intérêt des dominions pour cette guerre déclinait parce que les Boers ne semblaient pas être la menace pour l'Empire que les propagandistes s'étaient plu à claironner.

Toutefois, le soutien des colonies, même symbolique, était ardemment recherché par Londres, car Chamberlain voulait montrer aux puissances européennes que l'Angleterre n'était pas isolée, qu'elle était le centre d'une constellation dont la périphérie était prête à l'appuyer concrètement, mais aussi parce que le gouvernement conservateur était accusé par l'opinion internationale d'agresser un petit peuple (blanc, mentionnons-le : on ne faisait pas autant de cas pour les peuples de couleur). Le ralliement des dominions à la métropole infirmait un tant soit peu l'accusation puisque des colonies ne sauraient attaquer d'autres colonies.

Dès lors, revenait la question : pourquoi les Ontariens étaient-ils si prompts et si enthousiastes à s'attaquer à un peuple qui ne menaçait pas l'Empire ? À la différence des Canadiens français établis au Canada depuis trois siècles

---

14. PRESTON, *op. cit.*, p. 262.

et qui avaient une vision *nord-américaine* des choses, beaucoup d'Ontariens étaient encore des Britanniques de naissance, et ces Britanniques pas tout à fait canadianisés formaient les premiers gros bataillons de volontaires : en 1914, quinze ans après la guerre des Boers, 70 % des gradés et des soldats des « Old Originals » du corps expéditionnaire canadien étaient nés en Grande-Bretagne[15]. Pour eux, l'Empire était *leur* empire, le Canada n'était pas encore *leur* patrie. Grâce à eux, la Commission d'enquête sur la conduite de la guerre des Boers put conclure que la leçon la plus significative de la guerre était « qu'il y avait à travers l'Empire, au Royaume-Uni, ses colonies et ses dépendances... une réserve de forces militaires à laquelle nous serions heureux de recourir en cas de besoin comme nous l'avons fait en 1899[16] ».

Le psychodrame sud-africain se dissipa au Canada dans les vapeurs bienfaisantes de la prospérité de la Belle Époque. Et le non-engagement *officiel* d'Ottawa dans cette guerre sauva le pays de la flétrissure attachée aux vilaines conquêtes coloniales. Car, loin d'être la guerre *fraîche et joyeuse* promise par Chamberlain, qui entendait associer les colonies au triomphe de l'Empire, la guerre des Boers « discrédita l'empire libéral britannique, fournit à Hitler le modèle des camps de concentration, confina les prisonniers de guerre dans des îles lointaines et plongea l'armée traditionnelle britannique dans les affres d'une interminable guérilla[17] ».

---

15. Cf. Roch LEGAULT et Jean LAMARRE, *La Première Guerre mondiale et le Canada*, Éd. du Méridien, Montréal, 1999 (chapitre écrit par Desmond MORTON), p. 24.
16. *Ibid.*, p. 280.
17. Zbigniew BRZEZINSKI, *Second Chance*, Basic Books, NY, 2007, p. 2.

Le zèle impérial de Borden
engendra la nation canadienne

S'il y a eu, dans l'histoire, une guerre marquée, en particulier, par l'absurdité et la bêtise des hommes, c'est bien
la guerre de 1914-1918. Ses motivations relevaient essentiellement des égoïsmes des puissances : nationalismes
exacerbés, ambitions de princes, surarmement et volonté
des états-majors d'en découdre avec *l'ennemi traditionnel*.
Les stratégies militaires procédaient d'un aveuglement
générateur de boucheries catastrophiques. Seul l'épuisement des forces en expliqua l'armistice. Seul l'esprit de
vengeance en inspira le traité de paix truffé, du reste, de
dispositions vexatoires et de condamnations morales
lourdes de conflits potentiels. Une paix précaire, « trop
forte pour ce qu'elle avait de faible, trop faible pour ce
qu'elle avait de fort[18] ».

Pour le premier ministre canadien Robert Borden•, la
guerre fut inscrite, d'emblée, dans le dessein d'une grande
politique : la mobilisation du Canada aux côtés de l'Empire devait servir à conférer aux dominions la pleine
reconnaissance comme nations indépendantes au sein
d'un Commonwealth impérial. À ce sujet, il proposa de
substituer le mot Commonwealth à Empire et obtint gain
de cause. Rien ni personne ne le fit reculer : pour lui, il
s'agissait d'une « croisade morale » pour sauver l'Empire
et forger l'âme d'une nation. C'était aussi une question
d'honneur : aux élections de 1917, il déclara : « Notre
premier devoir est de gagner, à tout prix, ces élections
pour que nous puissions contribuer à la victoire et que le

---

18. Jacques Bainville, cité par Maurice BEAUMONT dans *La faillite de la
    paix*, tome I, PUF, Paris, 1960, p. 72.

Canada ne soit pas déshonoré[19]. » Ce zèle belliqueux était assorti de l'exigence d'une reconnaissance de la nation canadienne. Il ne s'en cachait pas. Quand, en 1916, il s'engagea à envoyer un demi-million d'hommes au front alors que l'Angleterre ne lui en avait jamais demandé autant, il s'expliqua ainsi : « Il serait difficilement concevable que nous envoyions 400 000 ou 500 000 soldats sur les champs de bataille et qu'en échange nous renoncions à avoir une voix au chapitre et que nous ne recevions pas plus d'égards que des automates[20]. » Et en 1917, pour montrer sa détermination de soutenir l'Empire coûte que coûte, il recourut à la conscription qui n'était pas nécessaire, au risque de diviser le pays, rien que pour montrer que le Canada était aussi actif dans la guerre que les belligérants européens. « Pour lui, la conscription n'était pas une opération stratégique pour gagner la guerre, mais un engagement idéologique pour affirmer l'honneur du Canada[21]. »

Le zèle impérial de Borden eut, bien entendu, des échos plus que favorables à Londres, mais très vite le malentendu s'installa. Dans l'esprit des Britanniques, ainsi que le disait Eschen[22] à Balfour* en juin 1909, « la Grande-Bretagne est le patrimoine de ces peuples autant que des nôtres. Pas seulement les abbayes et les églises et les vieux domaines, mais l'honneur de l'Angleterre et de ses dominions d'outre-mer... S'ils sont d'accord, comme ils le

19. GRANASTEIN et MORTON, *Canada and the two World Wars*, Key Porter Books, Toronto, 2003, p. 107.

20. Cité par John SWETTENHAM, dans *Canada and the First War*, McGraw-Hill Ryerson Ltd., Toronto, 1969, p. 92.

21. Joseph LEWITT, Introduction de l'ouvrage *The Crisis of Quebec, 1914-1918* d'Elizabeth ARMSTRONG, Carleton Library, Mc Clelland and Stewart Limited, 1974, Toronto, p. x.

22. Membre de la commission Elgin sur la guerre des Boers et proche du roi Édouard VII.

sont, avec cet idéal, n'est-il pas temps pour eux de consi-dérer les sacrifices qu'ils sont prêts à faire ? La puissance maritime est le socle sur lequel l'Empire se tient, et il ne devrait pas être difficile, pour eux comme pour nous, de trouver un moyen par lequel le fardeau de l'Empire peut être réparti[23] ». À cet égard, la création de l'Imperial General Staff et, en 1911, du Comité pour la défense de l'Empire, visait, avant tout, à renforcer la défense de la métropole et non la défense collective de l'Empire. Par Imperial, Londres entendait l'imperium de Westminster et non la participation des dominions au processus de décision. Il est révélateur de noter que les premiers minis-tres des dominions n'étaient pas invités à siéger aux réunions du Cabinet et des conseils de guerre où les décisions importantes étaient prises.

On comprend mieux, dès lors, la fameuse adresse de Laurier à Chamberlain en 1897 (déjà) : « Si vous voulez de notre aide, invitez-nous à vos conseils[24]. » Entre les dominions et la métropole, le quiproquo s'épaississait : Borden voyait dans l'Imperial War Cabinet (créé en pleine guerre) auquel les dominions avaient accès une institution *politique* qui lui permettrait d'« avoir voix au chapitre » alors que, pour Churchill*, ce n'était qu'un organe de coordination censé « centraliser en un seul lieu les ressources de la Couronne britannique [sic] dispersées dans le monde[25] ». Borden voulait que le Canada fût traité d'égal à égal comme deux nations sœurs alors que Georges Lloyd* n'entendait qu'atteler les dominions au train de l'Empire.

Ce malentendu politique se répercuta sur le plan militaire : ce n'est qu'en septembre 1916 que le corps

---

23. PRESTON, *op. cit.*, p. 434.
24. PRESTON, *ibid.*, p. 280.
25. PRESTON, *ibid.*, p. 516.

expéditionnaire canadien devint l'armée canadienne, au lieu de n'être qu'une division de l'armée britannique, Ottawa ayant fait valoir son droit de gérer ses forces outre-mer. Et jusqu'à la fin de la guerre, les forces canadiennes, même quand elles décidaient elles-mêmes de leurs opérations tactiques (succès de Vimy), demeuraient sous commandement stratégique britannique – dont les choix n'étaient d'ailleurs pas toujours heureux (bataille de la Somme) ! Exaspéré du reste par les pertes humaines causées par l'aveuglement des états-majors français et britannique – l'offensive à tout prix –, Borden dit à Lloyd George en 1918 : « Monsieur le premier ministre, je veux vous dire que, s'il y a une répétition de la bataille de Passchendaele[26], pas un seul soldat canadien ne quittera les rivages du Canada tant que je serai premier ministre de ce pays[27]. » À la suite de quoi, Lloyd George annonça que les premiers ministres des dominions se réuniraient avec lui pour revoir les plans de bataille de la Grande-Bretagne, passés et futurs, et que les dominions auraient « à prendre part directement à la conduite de la guerre et aux opérations sur les champs de bataille[28] ».

La fin de la guerre approchait, et les préoccupations de Borden se tournaient maintenant vers la présence du Canada au traité de paix. Son zèle impérial, marqué par 60 000 morts (10 % du corps expéditionnaire) et 173 000 blessés pour une population totale de 7,5 millions

---

26. Le maréchal britannique Haig avait ordonné au général canadien Currie de prendre Passchendaele sans lui fournir d'explication sur la nécessité de l'opération. Currie protesta que celle-ci ne lui semblait pas indispensable et qu'elle serait coûteuse en vies humaines. Mais il dut se plier, et conquit Passchendaele au prix de 16 000 morts. En 1918, devant une offensive allemande, Haig abandonna Passchendaele.

27. GRANATSTEIN et MORTON, *op. cit.*, p. 129.

28. *Ibid.*

d'habitants, allait-il porter fruit? De même que le Canada avait dû lutter pied à pied pour avoir la maîtrise des opérations militaires et une place à l'Imperial War Cabinet, il a dû, pour être présent à la table de négociations à Versailles, affronter et Lloyd George, porté à vouloir négocier en un seul bloc impérial, et le président Wilson[*], qui refusait que le Canada ne siège à la Conférence de paix ni à la Société des nations (SDN)[29] de peur que l'Angleterre (colonialiste à ses yeux) n'en soit renforcée. À ce propos, Wilson était en contradiction avec ses propres «quatorze points», en particulier celui de la SDN censée accorder à tous les États, grands et petits, des «garanties mutuelles d'indépendance politique et d'intégrité territoriale». Borden se montra inflexible quant à la présence du Canada à la Conférence de la paix. Il déclara à Lloyd George: «La presse et le peuple de mon pays tiennent pour acquis que le Canada sera représenté à la Conférence[30].» Il ne saurait se résigner à une représentation inférieure à celle de la Belgique ou du Portugal «qui perdirent moins d'hommes en France sur le champ de bataille[31]».

Tout le zèle impérial de Borden, à cause duquel il perdit son siège au Parlement, n'aboutit qu'à l'obtention d'un strapontin à la table de négociations et à une signature, légèrement en retrait sous celle de la Grande-Bretagne. Autant, vers la fin, la guerre fut impopulaire, autant la paix déçut l'opinion publique. La montagne avait accouché d'une souris. Pire: l'article X du pacte de la SDN, dit de sécurité collective, stipulait que «les parties contractantes s'engagent à respecter et à sauvegarder, contre toute

---

29. Société des nations: ancêtre des Nations unies qui connut une vie éphémère et se distingua par son inefficacité.

30. *Ibid.*, p. 150.

31. *Ibid.*, p. 151.

agression extérieure, l'intégrité territoriale et l'indépendance politique de tous les États membres de la Société ».

Cela signifiait que le Canada, quoique réticent à toute participation automatique dans les guerres de l'Empire, serait forcé de combattre pour défendre des États lointains en guerre contre leurs voisins. L'Empire revenait par la plaie ouverte de la SDN ! Mais Borden jugea que le statut international du Canada acquis grâce au traité et à la SDN était plus important qu'un article dont l'application était aléatoire et sujette à d'interminables palabres. Et les maigres résultats ultérieurs de la SDN – ou plutôt, sa faiblesse congénitale : le droit sans la force – lui donnèrent raison. Par une étrange ironie de l'histoire, Borden aura réalisé, en collant à l'Empire, ce que Bourassa avait rêvé de faire en prenant ses distances avec celui-ci : l'indépendance de la nation.

La Grande Guerre laissa une affreuse cicatrice dans la mémoire des Canadiens

Après les tranchées des Flandres, restait à combler les fossés de la division du pays. « Avec le temps… et après que l'enthousiasme de la victoire se fut refroidi, les Canadiens réfléchis, tant anglophones que francophones, se rendirent compte que le problème racial demeurait tout aussi épineux qu'avant. À la fin de la guerre, le problème de l'unité canadienne demeurait entier. Les crises qui avaient éclaté entre 1914 et 1918 n'avaient servi qu'à accentuer la dévotion de la minorité canadienne-française envers sa foi, sa langue et ses institutions ; en outre, comme à l'époque de Lord Durham, il y avait toujours "ces deux nations en guerre au sein d'un même État[32]". »

---

32. E. Armstrong, *op. cit.*, p. 245.

Comment en est-on arrivé là, alors qu'en 1914 tous les Canadiens célébraient l'*union sacrée* derrière l'alliance des démocraties de France et d'Angleterre face aux autocraties des empires centraux? Il importe de revenir aux sentiments mêlés des Canadiens français à l'égard aussi bien de la France, mère patrie originelle, que de l'Angleterre, métropole de l'Empire, pour comprendre l'enthousiasme du début de la guerre suivi, très vite, des désillusions et des ressentiments.

> Nous t'avons pardonné ton abandon, ô France
> Mais s'il nous vient encore parfois quelques rancœurs
> C'est que, vois-tu, toujours blessure héréditaire
> Tant que le sang gaulois battra dans notre artère
> Ces vieux souvenirs-là saigneront dans nos cœurs[33]

Ces vers d'un grand poète de l'époque montrent assez toute l'ambiguïté des sentiments des Canadiens français à l'égard de la France. La foi, la langue et les institutions, héritage de la Nouvelle-France, marquent le lien d'appartenance du Québec avec la patrie originelle et son caractère particulier en Amérique du Nord. Sans ce lien et ce caractère, le Québec ne serait-il pas une autre Louisiane assimilée, gardant çà et là quelques touches de vernis français? Mais la rupture du cordon ombilical faite avec l'abandon des «quelques arpents de neige[34]» au profit de la Guadeloupe riche en canne à sucre ouvrit une blessure difficile à cicatriser et qui allait défigurer l'image de la France auprès des

---

33. Louis FRÉCHETTE, *Légende d'un peuple*, 1887, cité dans Armstrong, *ibid.*, p. 46.
34. VOLTAIRE, *Candide ou l'Optimiste*, 1759, chap. III. La citation complète est terrible de mépris: «Vous savez que ces deux nations sont en guerre pour quelques arpents de neige vers le Canada, et qu'elles dépensent pour cette belle guerre beaucoup plus que tout le Canada ne vaut.»

Canadiens français. Ces sentiments se sont conjugués pour définir une attitude en dents de scie, tantôt affectueuse en souvenir du temps heureux de la Nouvelle-France avec la conscience d'une filiation historique et culturelle, tantôt défiante à l'égard d'une mère dénaturée qui aurait abandonné son enfant pour un plat de lentilles. Pour Henri Bourassa, les Canadiens français devraient percevoir la France comme les Américains l'Angleterre, avec compréhension et ressentiment à la fois.

Tout autre était le rapport des Canadiens français avec Albion[35], fait de reconnaissance pour la garantie institutionnelle accordée à la foi catholique, au Code civil et aux libertés politiques, et de suspicion à l'égard des constantes tentatives d'assimilation. C'est un *mariage de raison*[36] que l'Église[37] et les élites ont contracté avec l'Angleterre et qui a permis aux Canadiens français de développer une identité propre en Amérique du Nord. Toutefois, sous la surface, sourd une antipathie nourrie de méfiance (réciproque d'ailleurs, et qui remonte à la conquête normande en passant par Jeanne d'Arc et Montcalm). L'un perçoit l'autre comme un arrogant imbu de sa supériorité impériale, l'autre ne voit dans le premier qu'un paysan incapable d'apprécier les bienfaits de la culture anglo-saxonne : mauvais souvenirs du passé, perceptions déformées à travers le prisme des différences ethnolinguistiques, visions du monde divergentes. D'un côté, le regard du

---

35. Ainsi désignait-on l'Angleterre par allusion à la blancheur de ses falaises.

36. ARMSTRONG, *op. cit.*, p. 48. En français dans le texte.

37. Mgr Bruchesi, archevêque de Montréal, s'adressant aux soldats à Valcartier en partance pour la guerre : « L'Angleterre a protégé nos libertés et notre foi. Sous sa bannière, nous avons trouvé la paix… Vous allez comme Canadiens français faire de votre mieux pour que l'Union Jack flotte avec honneur dans le vent », *ibid.*, p. 58.

Canadien français tourné vers la vallée du Saint-Laurent, microcosme qu'il a bâti lui-même, de peine et de misère, de l'autre, le regard du Canadien anglais embrassant l'Empire. *Notre foi, notre langue, nos institutions*, affirme le Canadien de Papineau* ; *Rule Britania*, clame le loyaliste de Pitt*.

De cette conjonction de sentiments complexes – amour-haine des Canadiens français pour la France et réalisme assorti de suspicion pour l'Angleterre – a résulté l'adhésion des Canadiens français à la participation du Canada à la guerre en 1914. Qu'on ne s'y méprenne pas : cette adhésion n'était pas sans réserve, elle était plutôt circonspecte, raisonnée, conditionnée par le volontariat dans le recrutement et le respect, en Ontario et dans le reste du pays, des écoles et des institutions canadiennes-françaises. Sensible au moindre grain de sable qui viendrait dérégler l'engrenage, elle différait de celle du Canadien anglais, sans états d'âme, elle, passionnée, passionnelle, exprimée sans ambages par Arthur Meighen, alors solliciteur général dans le gouvernement Borden, qui se déclarait prêt à sacrifier « jusqu'au dernier homme, jusqu'au dernier dollar pour le salut de l'Angleterre[38] ».

En 1914, c'était l'union sacrée. Même Henri Bourassa, nationaliste réfractaire à toute aventure militaire extérieure, déclarait, fort de l'appui unanime du Parlement : « Par conséquent, il est du devoir national du Canada de contribuer, dans les limites de ses forces et par les moyens qui lui sont propres, au triomphe… des efforts combinés de la France et de l'Angleterre[39]. » Union sacrée en paroles et en acte : les Canadiens français se portèrent volontaires en grand nombre, des fonds furent amassés pour la

---

38. Gérard Filteau, *Le Québec, le Canada et la guerre de 1914-1918*, Édition de l'Aurore, Montréal, 1977, p. 24.

39. Armstrong, *op. cit.*, p. 78.

Croix-Rouge, le gouvernement provincial offrit 4 millions de livres de fromage, preuve de bonne volonté à la cause impériale. L'historienne américaine E. Armstrong écrit : « Il n'y avait aucun doute que le Canada français se tenait coude à coude avec le reste du dominion dans un mouvement patriotique afin d'aider le plus possible la cause des Alliés[40]. » Mais elle ajoute comme avec regret : « Ce qui est fâcheux c'est que le gouvernement n'a jamais bien saisi la pleine mesure de l'ardeur des Canadiens français en 1914[41]. » Il faut comprendre que l'une des causes principales de l'union sacrée – et pas seulement au Canada – était la conviction que la guerre finirait avant Noël 1914 et que les troupes rentreraient à la maison pour les fêtes.

Les désillusions ne tardèrent pas à se manifester. On s'enfonça dans la guerre, on creusa des tranchées en prévision d'un conflit qui s'annonçait long et meurtrier, la ponction financière s'alourdissait, le recrutement s'intensifiait et les maladresses du commandement anglo-canadien à l'égard des recrues canadiennes-françaises – usage exclusif de la langue anglaise, maintien des Canadiens français à des postes subalternes – n'arrangeaient pas les choses. Mais c'est au Canada, non pas sur le front militaire, que les choses se gâtèrent sérieusement. La résurgence du conflit scolaire[42] en Ontario en 1915 alluma des feux qui remettaient en question l'engagement des Canadiens français dans la guerre.

---

40. *Ibid.,* p. 79.

41. *Ibid.*

42. En 1912, l'Ontario promulgue le Règlement XVII dont l'effet à terme est de proscrire l'enseignement du français dans les écoles. Résistance des Franco-Ontariens (*Le Droit* paraît en 1913) appuyés par les Québécois, fureur des orangistes qui crient à la désobéissance civile ! L'union sacrée de 1914 apporte une trêve aux passions.

Le conflit prit de l'ampleur durant les années 1915-1916 au cours desquelles les commissions séparées (franco-catholiques) de la province recoururent à la désobéissance passive. Malgré l'appel du pape à la tolérance, et quoique le Conseil privé eût reconnu le caractère constitutionnel du Règlement XVII, les Franco-Ontariens firent monter la fièvre ; Bourassa et tout ce que le Québec comptait de nationalistes se lancèrent dans la bataille. Les mots qui blessent fusèrent : minorité *opprimée* de l'Ontario, *nos blessés de l'Ontario*, les dirigeants *prussiens* de l'Ontario… Sollicité par Sam Hughes, ministre de la Milice, pour recruter un bataillon, Arnaud Lavergne refusa en ces termes : « Mes compatriotes d'origine française de l'Ontario, Canadiens comme vous, subissent maintenant un régime pire que celui qui est imposé par les Prussiens en Alsace-Lorraine…[43] » Plus rude encore : « La première ligne de défense du Canada est dans les écoles d'Ottawa et non dans les tranchées de Belgique[44]. » Les épithètes se suivaient et le ton allait en crescendo : *huns, boches, barbares* les Canadiens anglais, *traîtres, couards* les Canadiens français.

On aura compris que l'union sacrée n'était plus qu'un souvenir : les Canadiens français avaient joué le jeu loyalement en 1914, mais ils reconnaissaient, avec l'affaire des écoles ontariennes, qu'il y avait eu maldonne, que leur engagement en Europe n'avait été qu'une duperie sur le front intérieur ; de leur côté, les Canadiens anglais ne comprenaient pas qu'au moment où l'on avait le plus besoin de troupes (Borden promettait 500 000 hommes à l'Angleterre) les Canadiens français leur faisaient faux bond : ce lâchage risquait de provoquer un désastre sur

---

43. Filteau, *op. cit.*, p. 78.
44. *Ibid.*

le front militaire. Rappelons que, vers la fin de 1915, 62 % des volontaires étaient de naissance britannique ; cette guerre était la leur, les Canadiens français l'entendaient bien ainsi, du reste : *cette guerre est la vôtre, rendez-nous nos écoles d'abord !* Pour Bourassa, la frontière du Canada était à Halifax, non pas en Flandre.

L'incompréhension était totale, les ressentiments épidermiques, on était au bord d'une guerre incivile qui ne disait pas son nom. Tout à sa guerre et à ses rêves de prendre part au banquet des vainqueurs, Borden ne voyait rien, occupé à devancer les désirs de Londres (plus de troupes, plus de troupes !), faisant des promesses inconsidérées, alors que le recrutement se raréfiait même auprès des Canadiens anglais. Alors, du fond de la guerre des Boers, surgit l'avertissement qu'avait lancé Bourassa : non seulement le Canada cédera à toute demande impériale de participer à la guerre (la notion du non-précédent lui avait semblé impossible à tenir), mais il ira jusqu'à la conscription pour satisfaire l'Empire.

C'était ce à quoi pensait Borden, de retour de Londres, en mai 1917, avec, dans ses bagages, un siège à l'Imperial War Conference et dans le cabinet de guerre. De parlementaire, le débat qui suivit le dépôt du projet de loi portant sur le service militaire obligatoire saisit toutes les couches de la société québécoise, y compris l'Église et la presse. Le pays n'était plus divisé entre conservateurs et libéraux, mais entre Canadiens français et Canadiens anglais ; au clivage politique se substitua le clivage national. L'union sacrée de 1914 volait en éclat, remplacée par deux *unions sacrées antagonistes* : celle des Canadiens anglais farouchement favorables à la conscription et celle des Canadiens français violemment opposés à tout enrôlement forcé. Dans un discours prononcé en Chambre le 18 juin 1917, Sir Wilfrid Laurier donna le ton à l'expression des sentiments des Canadiens français et, avec toute la maestria de l'homme d'État rompu aux affaires et aux joutes parlementaires, articula son argumentaire sur trois points principaux.

1) Le gouvernement Borden a juré ses grands dieux qu'il n'y aurait pas de conscription. Ce brusque reniement de sa parole constitue un abus d'autorité puisqu'il n'est pas mandaté par le peuple pour promulguer une telle loi.

2) Longtemps avant la Confédération de 1867, les représentants de toutes les parties du Canada s'étaient accordés pour ne recourir à la conscription qu'en cas d'invasion du pays par une puissance étrangère. Ce qui n'est pas le cas en l'occurrence !

3) Pour éviter les effets néfastes[45] de cet abus d'autorité et mettre le pays légal en adéquation avec le pays réel, Laurier proposa un référendum (les Australiens venaient de rejeter la conscription à la suite d'un référendum), mais la majorité conservatrice rejeta cette proposition.

Quant à la Loi sur le service militaire, le résultat du vote au Parlement accusa le même clivage ethnolinguistique que dans l'opinion : les conservateurs votèrent pour à l'exception de neuf nationalistes du Québec ; les libéraux de l'Ontario votèrent pour à 10 contre 2 alors que les libéraux du Québec votèrent contre 37 à 0. Même réaction dans les journaux : en anglais, on était pour ; en français, on était contre. Le peuple du Québec descendit dans la rue, manifesta son opposition, exprima sa frustration

---

45. Le 15 juin 1917, le journal *Croix* a soulevé la possibilité d'une sécession du Québec sans compter la hargne et la violence des propos des uns et des autres.

devant ce *coup de force*: au printemps 1918, des émeutes éclatèrent à Québec, faisant quatre morts parmi les civils. «Rarement l'hystérie raciale avait atteint un tel degré d'intensité[46].»

Au sein de l'Église catholique, dont la marque de commerce était pourtant la loyauté à l'Empire, des voix s'élevèrent et fustigeaient les promesses brisées et les *volte-face*[47] des Anglais depuis 1867. Tout remontait à la surface: la violation des droits des minorités canadiennes-françaises, l'étouffement que subissent la langue française et son enseignement, la mise au rancart des aspirations autonomistes des Canadiens français dans la Confédération jusqu'à ce coup de Jarnac de 1917, inutilement abusif, ostensiblement asséné pour plaire à l'Empire. L'abbé Groulx, prêtre et historien, fit le décompte des tromperies qui mettaient à mal le fameux «British Fair Play» et appelait les Canadiens français à affirmer leurs droits et à ne céder ni aux sirènes ni aux contraintes de l'Empire. Plus significatif était l'article paru, en été 1917, dans l'hebdomadaire ecclésiastique *La Vérité de Québec*, sous la signature de Louis Romain, pseudonyme que de bonnes sources attribuaient à monseigneur Paquet, recteur de l'Université Laval et porte-parole officieux de la hiérarchie. L'argumentaire soutenait *grosso modo* l'idée qu'aucun *contrat* particulier n'existait entre le Canada et la Grande-Bretagne, que la métropole ne pouvait exiger qu'un dominion jouissant du *self-government* participât à une guerre impériale. L'appui donné en 1914 par l'Église à l'engagement canadien dans la guerre résulte non d'une obligation constitutionnelle, mais de la compréhension du Canada envers la mère patrie face à l'adversité.

---

46. Armstrong, *op. cit.*, p. 207.
47. En français dans le texte d'Armstrong, p. 215.

D'aucune façon, il n'avait été question pour l'Église de prôner une participation à la guerre qui fût automatique et illimitée, encore moins forcée.

Plus tard, en 1938, en réponse à André Siegfried, éminent intellectuel français, qui comparait le Québec à « une petite Vendée[48] », le Canadien français Jacques Michel brandit, haut et fort, le drapeau du nationalisme isolationniste du Canada français : « Les Canadiens français sont citoyens d'Amérique, non d'Europe, d'Asie, d'Afrique ou d'Océanie ; ils ignorent la "grande politique" chère aux puissances européennes ; ils ont une aversion marquée pour le militarisme sous toutes ses formes ; ils sont opposés par l'histoire et par les traditions à toute participation à des guerres extérieures ; ils ne sentent aucun devoir ni envers la France ni envers l'Angleterre[49]. »

Plus de vingt ans après la crise de la conscription, le sentiment de rejet de toute intervention du Canada outre-mer était encore vivace. On peut se demander si la blessure de 1917 s'était cicatrisée et les tensions, apaisées ; d'autant plus qu'en 1938, sept ans après l'octroi du statut de Westminster, qui accordait au dominion la pleine maîtrise de sa politique extérieure, le Canada n'avait plus l'excuse d'être automatiquement en guerre chaque fois que l'Empire l'était. Fini le temps où Laurier déclarait : « Quand l'empire est en guerre, le Canada est en guerre. » Le premier ministre Mackenzie King* en était conscient : il abordait les rumeurs de guerre à l'horizon (on est en 1938, un an avant la guerre) avec circonspection. Cette

---

48. Violemment opposée à la Révolution française, parce qu'elle était très attachée à sa foi catholique, la Vendée représente, auprès des esprits laïques, la quintessence du traditionalisme religieux.

49. Cité dans Roch LEGAULT et Jean LAMARRE, *La Première Guerre mondiale et le Canada*, Éd. du Méridien, Montréal, 1999, p. 94.

fois-ci, s'il y avait guerre, il appartiendrait au Parlement canadien de prendre la décision. Déjà, en septembre 1922, King, alors premier ministre, avait rejeté une requête du gouvernement de Londres qui sollicitait une assistance militaire canadienne dans la péninsule de Gallipoli, alléguant que tout déploiement militaire à l'étranger devait recevoir l'approbation du Parlement à Ottawa. D'ailleurs, dans l'entre-deux-guerres, beaucoup de Canadiens (attristés par la perte de 60 000 des leurs et effrayés à l'idée de devoir répondre continuellement aux exigences de la sécurité collective) semblaient vouloir suivre l'exemple de l'isolationnisme américain (le Sénat américain n'avait pas ratifié le traité de Versailles): bref, rester chez soi et laisser ces incorrigibles Européens régler leurs propres affaires à leur guise.

Et King de reconnaître, juste avant la guerre de 1939-1945, toute la difficulté qu'il devait affronter: « L'idée que, tous les vingt ans, ce pays doit automatiquement... participer à une guerre outre-mer pour sauver la démocratie ou l'autodétermination d'autres petites nations... semble à plusieurs un cauchemar et de la pure folie[50]. » Il faut dire que, pour comprendre la perplexité et l'inconfort du premier ministre, dans les années 1930, le Canada était mal outillé pour définir une politique extérieure indépendante – « sans sources d'informations diplomatiques et avec seulement un maigre ministère des Affaires extérieures... le Canada restait psychologiquement la colonie qu'elle était légalement en 1914, quand la déclaration de guerre de l'Angleterre avait engagé le Canada tout autant[51] ».

---

50. GRANATSTEIN et MORTON, *op. cit.*, introduction, p. xiii.
51. *Ibid.*, p. 174.

Dès lors, la perplexité de King avant la guerre de 1939 était-elle un aveu d'impuissance ou n'était-ce rien que l'état d'âme d'un sexagénaire rompu à toutes les ficelles de la politique, fin manœuvrier, procédurier tortueux?

L'Empire! Encore l'Empire!

Car l'état d'âme de Mackenzie King ne correspondait pas à son état d'esprit. «C'était un anglophile sentimental, un impérialiste et un monarchiste, qui croyait avec ferveur que la Grande-Bretagne représentait les idéaux de démocratie et de dévotion à Dieu que lui-même chérissait[52].» Tous les historiens s'accordent pour dire que, pour King, il n'y avait aucun doute que le Canada s'engagerait aux côtés de l'Angleterre en cas de guerre. Déjà, à l'ouverture de la session parlementaire en janvier 1939 (neuf mois avant la guerre), il avait cité, la faisant sienne, la déclaration de Wilfrid Laurier d'avant la Grande Guerre: «When Britain is at war, Canada is at war.»

Certes, il respecterait les formes que lui dictait le statut de Westminster allant jusqu'à dire au haut-commissaire britannique qu'il serait extrêmement dommageable si l'on suggérait que le Canada était entré en guerre «comme s'il était une possession coloniale[53]». Mais tout autant que la majorité des Anglo-Canadiens, Mackenzie King s'identifiait avec la Grande-Bretagne: les liens de sang et de culture étaient si forts que l'on peut dire sans exagérer que le Canada est entré en guerre en 1939 pour la même raison qu'en 1914, parce que la Grande-Bretagne était en guerre. «Le Canada a décidé de se battre en 1939 seulement parce que le premier ministre Neville Chamberlain•

---

52. *Ibid.*, p. 174.
53. GRANATSTEIN et MORTON, *Canada's War: The Politics of Mackenzie King government 1939-1945*, Oxford University Press, Toronto, 1975, p. 7.

n'était plus capable d'esquiver l'engagement que la Grande-Bretagne avait pris de défendre la Pologne[54]. » Ni la raison d'État, ni des intérêts vitaux, ni même une alliance formelle entre les deux nations n'expliquent la déclaration de guerre du Canada à l'Allemagne : seul le sentiment d'une filiation charnelle et spirituelle avec l'Empire lui inspira la décision. Et c'est sans fioritures que le sous-secrétaire d'État aux Affaires extérieures, O.D. Skelton, a analysé la situation : « La première victime de cette guerre a été la prétention du Canada de rester maître de ses propres destinées. Si la guerre survient en Pologne et que nous y participons, elle sera la conséquence des engagements pris par le gouvernement britannique à propos desquels nous n'avons jamais été consultés et à propos desquels nous n'avons pas reçu le moindre soupçon d'information à l'avance[55]. »

Au demeurant – et malgré les déclarations patriotiques à l'égard de l'Empire –, la guerre soulevait peu d'enthousiasme dans le pays. Les souvenirs des tranchées de la Grande Guerre et les effets prolongés de la Dépression n'incitaient pas l'opinion publique canadienne à exalter une nouvelle union sacrée et à exprimer l'engouement qui avait accompagné le début de la guerre précédente. Autant chez les Canadiens anglais que chez les Canadiens français ! De Winnipeg, le professeur Arthur Lower écrivit à un ami que « le peuple partout est apathique, on appréhendait la guerre, il n'y a aucun enthousiasme[56] ». O.D. Skelton, exaspéré par les maladresses de la diplomatie britannique, déclara : « Il est très douteux qu'en cas de plébiscite la majorité des Canadiens auraient voté en faveur de la guerre. Il y a le sentiment largement répandu

---

54. *Ibid.*, p. 19.
55. *Ibid.*, p. 6.
56. *Ibid.*, p. 20.

que ceci n'est pas notre guerre, que le gouvernement britannique qui s'est mis lui-même dans le pétrin devrait s'en sortir de lui-même[57]. » Inutile de trop disserter sur les sentiments des Canadiens français, plus nationalistes que jamais ! *Le Devoir* du 2 septembre 1939 n'a-t-il pas résumé en une phrase laconique ce que les autres journaux, les élites et l'opinion populaire pensaient : « Le Canada n'est pas pays d'Europe. »

Dès le départ, le malentendu s'installa. Dans l'esprit de King et des libéraux, cette guerre serait différente de la précédente, car il n'y aurait ni conscription, ni crise d'unité nationale, ni guerre totale. L'alliance avec l'Empire prendrait la forme d'une assistance économique soutenue : le Canada serait l'arsenal et le grenier de l'Angleterre. On éviterait autant que possible les batailles meurtrières ; on esquiverait toutes les demandes de renforts de troupes, de sorte que l'on ne soit pas hanté par l'ombre de la conscription ; on mobiliserait toutes les ressources économiques du pays pour aider la mère patrie en danger. Et Mackenzie King, échaudé par la crise de la conscription de 1917, ne voulait d'aucune façon recommencer le calvaire de la désunion nationale : le vote canadien-français, il y tenait comme à la prunelle de ses yeux. Il l'avait promis : il n'y aurait pas de conscription en cas de guerre en Europe, ses ministres québécois avaient parcouru la province durant les élections de 1939, le jurant solennellement et incitant les électeurs à voter libéral pour battre Duplessis (conservateur).

Pour King, la guerre avec l'Empire, oui, mais point trop n'en faut ! En 1941, pressé par les Britanniques[58] d'envoyer deux bataillons d'infanterie à Hong Kong,

---

57. *Ibid.*
58. Dans des conditions que nous aborderons plus loin.

King, quoique avec réticence, accepta «tout en mettant l'accent sur l'importance à ne pas faire en sorte que notre accord ne soit un prétexte pour instaurer plus tard la conscription[59]». De là, le malentendu: les sentiments impérialistes du premier ministre s'accordaient mal avec sa volonté de minimiser les sacrifices, d'autant plus que, ignorant tout des affaires militaires, il fut l'objet de pressions contradictoires de ses propres généraux (les uns comme McNaughton voulant engager un grand corps canadien, les autres comme Crerar acceptant toute demande issue des Britanniques et dans les conditions dictées par eux), d'autant plus que, malgré cette ignorance, n'importe quel troupier pouvait anticiper une guerre longue, meurtrière et mondiale[60]. Qui plus est, le 22 juin 1941 (invasion de la Russie par l'Allemagne) et le 7 décembre 1941 (Pearl Harbour), l'entrée de l'Union soviétique, des États-Unis et du Japon dans la guerre faisait s'embraser cinq continents, trois mers et trois océans! Dans cette configuration de guerre totale étendue aux quatre coins du monde, la politique de Mackenzie King – participation active mais engagements militaires réduits – se heurtait aux limites que lui imposaient les réalités et la logique de la guerre. D'ailleurs, chaque fois que ses généraux lui demandèrent un renfort de troupes, King allait céder, avec réticence certes, mais il céda toujours.

De même, face aux Britanniques, il se réfugia souvent derrière la procédure, mais c'était pour la forme, pour ne pas *donner l'impression* que le Canada était encore une

---

59. Cité par J. W. PICKERSGILL, *The Mackenzie King Record*, vol. I, *1939-1945*, The University of Toronto Press and University of Chicago Press, 1960, p. 316.
60. Dès le 18 juin 1940, le général de Gaulle avait parlé de la seule bataille de France et prédit une guerre mondiale.

colonie ou agissait comme telle. Il est vrai que cet attachement aux formes constitutionnelles répondait à la volonté de King de ne pas heurter les sensibilités isolationnistes des Canadiens français. En visite à Ottawa, Lord Maugham, Lord Chancellor, affirma, au cours d'une rencontre avec King, qu'il allait prononcer un discours dans lequel il déclarerait sa joie d'apprendre que le Canada serait aux côtés de l'Angleterre en cas de guerre. King répliqua à un Lord Maugham déconcerté que le Canada devait éviter de donner l'impression « que nous pourrions agir à la requête de la Grande-Bretagne[61] ». Et quand Churchill pressa King[62], au cours d'un dîner, d'instaurer la conscription ou de former un gouvernement d'union nationale pour permettre aux conservateurs, plus impérialistes que jamais, d'avoir leur mot à dire, King répondit qu'il en savait plus sur son propre pays que quiconque. « Il [Churchill] me demanda s'il pouvait annoncer demain qu'il allait recevoir une autre division blindée canadienne. Je lui dis que nous avions l'intention d'engager cette division, mais qu'il serait préférable que nous l'annoncions nous-mêmes[63]. »

Au fond, si les Britanniques se payaient le luxe de tenir pour acquis l'engagement des Canadiens à leurs côtés, c'est qu'ils étaient conscients de l'anglophilie viscérale des élites et de l'opinion canadiennes-anglaises. Et n'eût été le rejet, par son cher et nécessaire électorat québécois, de toute guerre pour l'Empire, King eût moins hésité à adhérer à l'effort de guerre totale. Comme l'écrit si bien Granatstein, « la raison fondamentale à l'origine de la

---

61. GRANATSTEIN et MORTON, *op. cit.*, p. 8.
62. Au mépris de tout devoir de non-ingérence dans les affaires intérieures d'un autre pays, fût-il allié !
63. PICKERSGILL, *op. cit.*, p. 326.

décision du Canada était le sentiment[64]. » Le statut de Westminster, censé conférer au Canada la maîtrise complète de la décision quant à la guerre, n'a pas réussi à distendre le ressort des liens de sang et de culture avec la matrice impériale. De cet acte fondateur de notre constitution[65] pour lequel Bourassa et Laurier ont tant milité et Borden sacrifié tant de vies sur le champ de bataille, King n'en a retenu que la forme et la procédure. Maxime Raymond, nationaliste québécois, a dit, de façon lapidaire et brutale, ce que les historiens avaient conclu après leurs recherches : « En septembre 1938 [crise de Munich], le gouvernement du Canada s'apprêtait à déclarer la guerre si l'Angleterre la déclarait. L'Angleterre ne l'a pas déclarée. Donc nous ne l'avons pas déclarée. En septembre 1939, l'Angleterre a déclaré la guerre. Nous, dès lors, l'avons déclarée. C'est aussi simple que cela[66]. »

En outre, la ruée vers la guerre s'est accompagnée de quelques entorses aux usages parlementaires dont King s'enorgueillissait d'être le gardien et le héraut. « Dans une lettre personnelle adressée au premier ministre, le professeur Frank Scott critiqua ainsi l'action du gouvernement : "vous avez sans cesse affirmé qu'il appartient au Parlement de décider de la nature et de l'étendue de la participation du Canada dans la guerre... Permettez-moi de souligner que votre Cabinet, un 'groupe d'individus', a décrété de si nombreuses mesures afin de placer le Canada dans un état de belligérance active avant que le Parlement ne se réunisse... que vous avez gravement limité notre liberté d'action quant à la suite du cours des choses... Ainsi notre participation n'était 'volontaire' que

---

64. *Op. cit.*, p. 19.
65. Avec l'AANB de 1867.
66. Cité par Jonathan F. GOLDBLOOM, dans *Nationhood in Crisis: French Canada and WW2*, Harvard College, Cambridge, Ms., 1997, p. 31.

dans la mesure où cet adjectif est compris dans un sens très particulier. Depuis que le Parlement a été prorogé le 13 septembre, cette pratique de l'exécutif de s'engager sans recours à la Chambre a continué. Votre gouvernement a renvoyé le Parlement étant clairement entendu qu'aucune force expéditionnaire ne sera formée et envoyée outre-mer... La première chose que les Canadiens ont apprise officiellement concernant un corps expéditionnaire était l'annonce dans la presse qu'une division était en partance vers l'Europe. De la même manière, je suppose, le peuple de l'Inde apprit que ses troupes ont été envoyées en Égypte[67]." »

La comparaison, humiliante aussi bien pour le Canada ramené au temps de la guerre des Boers que pour l'Inde réduite au rang de colonie taillable et corvéable à merci, faisait litière de tous les acquis constitutionnels depuis 1918. La gloire de l'Empire, ses pompes et ses œuvres, exerçait sur les Canadiens (à l'exception du Québec) en 1939 un attrait tel que le statut de Westminster semblait relever d'une fiction lointaine. Non seulement le Canada n'était pas affranchi de la tutelle impériale, mais on a l'impression que le gouvernement King la recherchait pour mieux exprimer son allégeance à la Couronne. Encore faut-il souligner que l'opposition conservatrice et l'opinion canadienne-anglaise trouvaient que King n'en faisait pas assez, et réclamaient l'instauration immédiate de la conscription, fustigeant les manœuvres dilatoires de King, s'enhardissant à exiger l'envoi de toutes les troupes disponibles en Europe et ailleurs, quitte à dégarnir la défense territoriale du pays. Et les hauts gradés des forces armées n'étaient pas en reste : la façon dont ils

---

67. GRANATSTEIN et MORTON, *op. cit.*, p. 26-27.

ont géré les épisodes de Hong Kong et de Dieppe est éloquente à cet égard!

Après la défaite de la France (juin 1940) et l'isolement de la Grande-Bretagne qui s'ensuivit, le Japon se sentit libre d'étendre sa domination sur l'Asie du Sud-Est, c'est-à-dire imposer l'«ordre nouveau» en Chine (c'était quasiment fait), en Indochine française, au Siam, en Birmanie, en Indonésie, sur les îles du Pacifique et en Inde. Face à cette menace, les États-Unis, la Grande-Bretagne, l'Australie, la Nouvelle-Zélande et les Indes néerlandaises se trouvèrent *volens nolens* associées dans la même lutte: les Anglais pour protéger la Malaisie et Singapour, les Américains pour maintenir leurs lignes de communication, les Hollandais pour défendre l'Indonésie et les Australiens pour défendre leur propre territoire.

Et Hong Kong? Selon l'état-major britannique, la colonie était indéfendable et les risques découlant d'une telle action, injustifiés. Dès le mois d'août 1940, un rapport issu de cet état-major concluait: «Hong Kong n'est pas d'un intérêt vital et la garnison ne pourrait soutenir un assaut japonais... En cas de guerre, Hong Kong devra être considéré comme un avant-poste et tenir le plus longtemps possible. Nous devons nous opposer à toute tentative de renforcer Hong Kong... Militairement notre position en Extrême-Orient serait plus forte sans cette contrainte[68].» Opinion corroborée par Churchill, le 7 janvier 1941: «Si le Japon entre en guerre contre nous, nous n'avons aucune chance de tenir la colonie de Hong Kong ou de la secourir. Il est inutile d'augmenter les pertes (si nous envoyons des renforts) que nous subirons. Au lieu de renforcer la garnison, il vaudrait mieux la

---

68. Brereton GREENHOUS, «*C*» *Force to Hong Kong*, Dandurn Press, Toronto, 1997, p. 10.

réduire à une échelle symbolique… Nous devons éviter d'éparpiller nos ressources dans des positions intenables[69]. »

Par conséquent, comment expliquer l'envoi de troupes canadiennes pour renforcer Hong Kong ? Comment, par quel incroyable concours de circonstances, d'amateurisme et de zèle impérial, le Canada a-t-il sacrifié inutilement deux bataillons mal équipés, peu entraînés, dans un combat perdu d'avance ?

De retour d'Asie et en route pour Londres, le major-général britannique Grasett emprunta la route plus sûre du Pacifique au lieu de passer par le Moyen-Orient et l'Europe en pleines turbulences guerrières. Faisant escale à Ottawa, il s'entretint avec un ancien condisciple du Royal Military College, le major-général Crerar, chef d'état-major des forces canadiennes. « Grasett m'informa… que l'ajout de deux bataillons ou plus à la garnison de Hong Kong la renforcerait de telle sorte que celle-ci serait en mesure de soutenir un siège face aux Japonais pour une longue période[70]. » Commentaire acide de l'historien Brereton Greenhous : « Il eût été étrange que ces deux vieux amis, l'un un fervent impérialiste, l'autre un ambitieux flagorneur, n'eussent point discuté de la possibilité pour le Canada d'apporter sa contribution[71]. » À Londres, le même Grasett rapporta à ses chefs que les défenses de la colonie étaient solides et le moral des troupes, haut : Hong Kong serait un morceau très dur à avaler pour les Japonais. Plus encore si la garnison était renforcée de deux autres bataillons ! Et, ajoutait Grasett,

---

69. *Ibid.*, p. 11.

70. Crerar devant la Commission royale d'enquête (mars 1942), cité dans Greenhous, *ibid.*, p. 15.

71. *Ibid.*

« a canadian contribution might be forthcoming if Ottawa was asked nicely[72] ».

Réponse négative du British War Office : le major-général Sir John Kennedy, directeur des opérations, rappela à ses chefs : « La proposition de Grasett ne devrait pas vous inciter à renverser la présente politique de ne pas envoyer des renforts à Hong Kong[73]. » Mais cela valait pour des troupes britanniques ! Pourquoi, en effet, sacrifier des troupes britanniques… quand on peut sacrifier des troupes *coloniales* ? Et c'est ainsi que le refus initial se transforma, dans un mémorandum au premier ministre Churchill, en proposition formelle lancée par les chefs militaires britanniques voulant que deux bataillons supplémentaires aient « un grand effet psychologique dans tout l'Extrême-Orient et montreraient à Chang Kaï-Chek [le grand allié chinois] que nous étions décidés à nous battre pour Hong Kong[74] ». La teneur de la requête britannique auprès du Canada d'envoyer deux bataillons en renfort refléta les deux arguments cités plus haut : l'effet psychologique et les assurances à Chang.

La requête britannique est datée du 19 septembre 1941. Jusque-là, nul, à Ottawa, n'était au courant de la suggestion de Grasett, sauf Crerar qui, visiblement, n'en avait avisé ni ses chefs militaires ni les ministres concernés[75]. D'ailleurs, nul, à Ottawa, n'était préparé à répondre au télégramme de Londres : au quartier général de la Défense nationale, on ne possédait aucune carte de Hong Kong, le ministre Ralston était en vacances aux États-Unis, et

---

72. *Ibid.*, p. 16. Nous avons maintenu la version originale anglaise de peur que la traduction n'altère la saveur du *might be forthcoming* et du *nicely*.

73. *Ibid.*

74. *Ibid.*

75. Ce qui constitue un sérieux accroc à la chaîne de commandement.

son remplaçant C. G. Power devait son siège au Cabinet plus pour son influence auprès des Anglo-Québécois que pour ses compétences ministérielles. Power en discuta avec Crerar sans même lui demander si l'envoi des troupes à Hong Kong était justifié sur le plan militaire. « Il me sembla que c'était la seule chose à faire, et je suppose que le général Crerar avait la même impression ; au moins, je tins pour acquis que tel était le cas[76]. »

Prendre une décision aussi importante que l'envoi de troupes outre-mer, fondée sur des impressions et des on-dit, à la suite d'une simple requête de la « perfide Albion[77] », qui s'appuyait sur des représentations (effet psychologique et assurances à Chang) maigres en substance, aux résultats douteux, montrait, s'il en était encore besoin, l'inféodation de certains membres des élites politiques et militaires canadiennes à la culture d'Empire et le manque de rigueur dans le processus de prise de décision. Quand Crerar affirma que « l'envoi de troupes était ultimement une décision aussi bien d'ordre psychologique que politique… C'était un *chaînon important de la coopération impériale*[78] », il dit vrai, mais il outrepasse, ce disant, ses attributions de soldat dont la mission est d'informer ses chefs des avantages et des insuffisances d'une décision *sur le plan militaire*. Il appartient aux autorités civiles de s'occuper de l'aspect politique. Certes, le politique n'est pas en mesure de saisir les aspects purement opérationnels de la guerre, mais il se doit de s'informer, auprès de diverses sources, des tenants et aboutissants d'une situation. Que personne aux plus hauts échelons politiques et militaires à Ottawa n'ait posé

---

76. Greenhous, *op. cit.*, p. 17.

77. *Ibid.*, p. 16.

78. *Ibid.*, p. 17. Nous avons mis les italiques pour souligner la reconnaissance par Crerar du lien impérial.

de questions sur les mérites de l'opération de Hong Kong demeure un mystère et nous laisse pantois. «La guerre est une affaire trop sérieuse pour la confier aux militaires» : Clemenceau savait de quoi il parlait, lui qui était chef de gouvernement d'un pays en guerre et devait s'imposer à une pléiade de généraux prestigieux, juchés sur leurs ego respectifs et habités par des points de vue divergents. Si les opérations militaires relèvent du général, la conduite de la guerre appartient – toujours – au politique!

À aucun moment, Crerar n'a donné un avis *militaire* fondé sur les réalités de Hong Kong. À la réunion du Cabinet War Committee du 23 septembre à Ottawa, Mackenzie King, prudent, ne se fiant pas à l'opinion de Power, demanda que le ministre de la Défense en titre Ralston soit consulté. Celui-ci téléphona à Crerar qui confirma, par écrit, sa recommandation d'envoyer les troupes, précisant qu'elles ne couraient «aucun risque militaire». Qu'en savait-il? Il ne connaissait ni le terrain (même pas une carte) ni l'état de la garnison; il ne possédait aucun renseignement sur l'ennemi, ses mouvements, ses effectifs, etc. Toute l'affaire était le résultat d'une conversation fortuite avec Grasett et d'une simple requête de l'Empire. Cela s'appelle de l'amateurisme.

Pire : en tant que chef d'état-major, Crerar aurait dû prendre soin d'envoyer des troupes bien entraînées et bien équipées. On décida d'envoyer, pour des raisons politiques de représentation territoriale, un bataillon de l'Ouest canadien et un bataillon de l'est du Canada (pour faire plaisir à Power, chef du caucus anglo-québécois). On confia le commandement de l'un des bataillons au lieutenant-colonel W. J. Howe qu'on avait auparavant relevé de ses fonctions de commandant d'une compagnie du Royal Canadian Regiment, car il était «incapable de commander en temps de guerre[79] ». De plus, les deux bataillons n'étaient équipés que de fusils et de baïonnettes, les armes lourdes faisaient défaut. Enfin – et pour en finir avec les incroyables négligences de l'état-major –, l'expérience sur le terrain du Royal Rifle et du Winnipeg Grenadiers était limitée à la garde du réseau ferré et des ports de la région atlantique, pour le premier, et au remplacement d'un bataillon britannique en Jamaïque, pour le second. Malgré cela, l'indémontable Crerar souligna que leur mission à Hong Kong « n'était pas différente, sous plusieurs aspects, de ce qu'ils ont entrepris jusqu'ici[80] ».

Ainsi, on envoya ces malheureux soldats contre la formidable machine de guerre du Japon, qui avait conquis la Chine et était en passe de submerger le Sud-Est asiatique. On connaît la suite. À peine arrivés à Hong Kong, les soldats canadiens, malgré leur vaillance, succombèrent aux assauts des Japonais : peu en revinrent.

Après Hong Kong, Dieppe !
Et l'on tomba de Charybde en Scylla !

Le 19 août 1942, 6 000 hommes (en grande majorité des Canadiens) et un régiment de chars blindés, embarqués sur 237 navires et péniches de débarquement, prirent d'assaut le port de Dieppe, sur la Manche. Les Allemands les attendaient. Ce fut le désastre : plus de 40 % de pertes, l'un des plus hauts taux de toute la guerre, de nombreux blessés et prisonniers.

---

79. *Ibid.*, p. 22.
80. *Ibid.*, p. 23.

Les livres d'histoire ne consacrent que quelques lignes à cet épisode de l'histoire militaire[81], mais, pour les Canadiens, les deux premiers engagements de leurs troupes au combat ont représenté un psychodrame qui allait alimenter débats et controverses pendant des décennies. Si, après le débarquement allié de juin 1944, les forces canadiennes s'illustrèrent sur le front occidental de l'Europe et renouèrent avec la gloire des soldats de Vimy et de Passchendaele, Hong Kong et Dieppe demeureraient des plaies ouvertes dans la conscience collective des Canadiens.

Au printemps 1942, la situation militaire des Alliés anglo-américains et des Russes était lamentable : de Dunkerque à Stalingrad, la Wehrmacht dominait les champs de bataille, et, au sud de la Méditerranée, l'Afrika Korp de Rommel menaçait Le Caire avec, à terme, le risque de jonction de ses troupes avec les troupes allemandes du Caucase. Staline était au bord de la suffocation, et réclamait, à cor et à cri, une action militaire anglo-américaine sur le front occidental afin d'alléger la pression sur son pays. Mais, pour les Alliés, en particulier les Britanniques, une ouverture d'un front à l'Ouest tenait de l'impossible tant l'Angleterre, elle-même dans la détresse malgré son héroïque résistance durant les deux derniers hivers, était peu disposée à sacrifier ses troupes, vitales pour sa défense, dans une opération aux résultats problématiques. « Toutes les raisons d'ordre militaire

---

81. « En matière de démonstration, les Anglo-Canadiens lancèrent le débarquement manqué de Dieppe. Une répétition générale ? Ou un échec programmé destiné à montrer aux Russes et aux Américains quels étaient les risques et les dangers d'une opération frontale ? » Marc FERRO, *Ils étaient sept hommes en guerre*, Laffont, Paris, 2007, p. 219. Et, à la page 325, M. Ferro note : « Churchill est très discret sur cette opération. »

allaient contre cette forme d'exercice dispendieux, et il est à souligner que les Allemands se refusaient eux-mêmes à envisager de telles opérations sur le littoral britannique[82]. »

Mais Staline insistait et allait jusqu'à menacer les Alliés de signer un traité de paix séparé avec Hitler, ranimant le mauvais souvenir de Brest-Litovsk[83]. Roosevelt, de son côté, voulait aider son nouveau partenaire *Uncle Joe* (Staline) et pressait Churchill de faire quelque chose. Celui-ci, malmené sur tous les fronts, avait besoin d'un succès militaire pour remonter le moral du front intérieur. À cet effet, il demanda, le 26 juin 1942, à Mounbatten si une opération planifiée sur Dieppe avait quelque chance de succès. « Good Heavens, no![84] », répondit Mounbatten, chef du Combined Operations Headquarters. Pourtant, l'Amirauté avait élaboré un plan pour Dieppe, il s'appelait *Jubilee*, mais nul n'en voulait[85]; il était trop risqué, trop aléatoire. « C'est dans cette atmosphère incertaine que l'idée de Dieppe prit forme. Qu'elle fût déjà décidée, puis décommandée avant d'être de nouveau adoptée telle quelle... équivalait à vouloir prendre ses désirs pour des réalités[86]. »

---

82. Nigel Hamilton en 1981, biographe du maréchal Montgomery, cité par Brian LORING VILLA, dans *Unauthorized Action: Mountbaten and the Dieppe Raid*, Oxford University Press, Toronto, 1989, p. 9.

83. Traité de paix séparé entre la Russie de Lénine et l'Allemagne de Guillaume II signé en 1917 et qui permit, de la sorte, aux troupes allemandes de l'Est de se rabattre sur le front de l'Ouest.

84. Jacques MORDAL, *Dieppe: the Dawn of the Decision*, The Ryerson Press, Toronto, 1962, p. 68.

85. Dans la tradition militaire britannique, l'officier général chargé de commander une opération peut refuser de la faire s'il juge le plan insuffisant.

86. *Ibid.*, p. 86-87.

Pire : celui-là même qui s'était écrié « Good Heavens, no ! » et qui s'interrogeait *au cas même où le raid aurait réussi* sur le problème non résolu – et impossible à résoudre dans le cadre de l'opération telle que conçue – sur la façon de tenir les plages[87], présenta, en personne, le projet au Chiefs Staff Committee. Apparenté à la famille royale et patronné par elle, Mountbatten ambitionnait d'occuper une fonction supérieure dans la hiérarchie alliée[88]. Quoi de plus approprié donc que de jouer dans la cour des grands : satisfaire Staline pressé et pressant pour un nouveau front et cajoler Churchill en quête d'une victoire, en s'accaparant tout le crédit en cas de succès et en ne risquant rien en cas d'échec, puisque le gros de troupes serait composé de coloniaux et que leurs généraux en redemandaient !

En effet, le lieutenant-général Crerar[89], commandant du corps canadien en Europe, fit tout pour que l'opération eût lieu, et surtout pour que le corps canadien en supporte le fardeau – malgré les réticences des Anglais. En accord avec son chef d'état-major, le général Andrew McNaughton, il démontra un tel empressement que les hésitations des Britanniques furent dissipées. Leur zèle impérial et leurs déclarations intempestives relevaient plus de la bravade que de la bravoure ou de la stratégie

---

87. « It will however throw no light on the problem of how to hold the beaches », *ibid.*, p. 90.
88. Quelques jours après l'échec cuisant de Dieppe, Mountbatten se présenta au quartier général de l'armée américaine, les mains pleines de décorations destinées à la minuscule unité de G.I. qui avait participé au raid. Comme les Canadiens, le gros des troupes étant engagé à Dieppe, n'avaient pas eu droit à tant d'honneurs, on s'enquit pour connaître la raison de cette sollicitude déplacée ; il fut répondu que Mounbatten voulait devenir Supreme Commander. Des troupes alliées, s'entend !
89. Le même qui engagea le Canada dans le désastre de Hong Kong !

militaire. En septembre 1941, au cours d'une conférence de presse, McNaughton proclama qu'en cas d'invasion du continent européen les Canadiens seraient au cœur de l'entreprise, ajoutant « le Corps canadien est une dague pointée sur Berlin[90] ». En mai 1942, Crerar en rajouta : « Le Corps canadien donnerait l'assaut aux positions ennemies de l'autre côté de la Manche aussi activement et aussi effectivement qu'il s'attaqua aux tranchées allemandes durant la dernière guerre[91]. » Rappelons que ces deux officiers généraux, chefs d'une armée en formation et peu aguerrie, parlaient de s'attaquer à la plus formidable machine de guerre de tous les temps.

Même le premier ministre Mackenzie King, d'habitude prudent, « succomba à la pression incessante de montrer le visage d'un Canada offensif, agressif[92] ». Mais lui espérait tempérer les ardeurs de ses militaires par des discours belliqueux qui ne seraient suivis d'aucun geste sur le terrain. Bref, le militaire bombait le torse, le politique finassait, l'opinion publique attendait et les soldats s'ennuyaient. Au total, ce qui était recherché « était une mission de combat contre l'Allemagne assez importante pour convaincre le public qu'une action était entreprise, mais assez petite pour être réalisée par des Canadiens exclusivement, et assez sûre pour éviter à King la pénible tâche de justifier de lourdes pertes[93] ». Ajoutez à toutes ces conditions et à toutes ces circonlocutions le fait que l'opération sur Dieppe fut enfantée par plusieurs organismes, chacun y mettant son grain de sel, *tirant la couverte* à son profit ou réduisant les risques pour ses propres troupes : le Combined Operations of the Head Quarters

---

90. B. Loring Villa, *op. cit.*, p. 215.

91. *Ibid.*, p. 216.

92. *Ibid.*

93. *Ibid.*, p. 217.

(COHQ), l'Air Force Commander, le Ground Force Commander, le Naval Force Commander, le Home forces, notamment le South-East Command. Les Canadiens ne furent informés des détails des opérations qu'après la décision prise, et le général canadien Roberts censé commander l'opération sur le terrain assista aux réunions sans trop poser de questions, n'ayant aucune expérience de commandement d'une division combattante.

Toute cette cacophonie ne présageait rien de bon. D'autant moins que l'on s'attaquait à la Wehrmacht, armée d'élite et reconnue pour telle. Encore moins quand on sait – et les hauts gradés le savaient – que les conditions physiques étaient extrêmement défavorables : plages et falaises malmenées par des vents violents rendant tout débarquement particulièrement ardu, un port défendu selon les règles de l'art, une vigilance allemande à toute épreuve depuis les rumeurs d'ouverture d'un second front à l'ouest. Tout cela nécessitait une opération combinée air-terre-mer d'envergure, coordonnée à la minute près, effectuée par des troupes entraînées à cet égard, sans compter l'indispensable effet de surprise qui donnerait un avantage aux troupes d'assaut, au moins au début. Or rien ne se fit comme prévu pour les Canadiens, tout se joua comme à l'exercice pour les Allemands : le désastre de Dieppe résulta de la conjonction des hésitations du leadership politique, des incohérences et de l'aveuglement du commandement militaire, enfin, des incroyables inconséquences entre les raisons invoquées et les résultats supposés de l'opération, ainsi que l'opportunisme de certains chefs militaires (Mounbatten, Crerar), plus habiles à manœuvrer les hommes politiques qu'à mener leurs soldats au combat.

Pas nécessairement la conscription, mais la conscription si nécessaire !

Du King tout craché ! Un morceau d'anthologie dans l'art de tout dire sans rien dire du tout ! Une anecdote qui remonte à la Grande Guerre nous aurait permis de prévoir les finasseries et les manœuvres dilatoires du King de 1939-1945. En pleine crise de la conscription de 1917, Laurier, alors chef de l'opposition libérale, avait déclaré qu'en cas de retour au pouvoir de son parti, il ferait abroger par la Chambre la Loi sur la conscription. De son côté, Mackenzie King, ambitieux lieutenant de Laurier, écrivit à son chef : « De l'avis général, il semble que, la Loi sur la conscription ayant déjà été promulguée, le Parti libéral devrait la maintenir dans les statuts, et, dans aucun cas, s'engager à l'abroger ; mais le parti pourrait très judicieusement décider que la loi n'a jamais été nécessaire et ne serait appliquée que si la situation l'exigeait, et après en avoir conféré avec les autorités britanniques et américaines[94]. »

On assiste ici à un exercice de haute voltige avec triple pirouette : d'abord, on fait plaisir aux Canadiens anglais en gardant la loi ; ensuite, on ne l'applique pas pour faire plaisir aux Canadiens français ; enfin, on attend que Londres et Washington se donnent la peine de décider pour nous. Et on gagne les élections ! Mais l'affaire dépassait, pour comprendre la façon d'agir de King, le simple exercice parlementaire : King était appelé à diriger les destinées d'un pays en guerre (nul, en 1917, ne prévoyait une issue prochaine au conflit) et se livrait entre-temps à de basses manœuvres électoralistes en exploitant la division de l'opinion en temps de guerre. Plus grave

---

94. Cité par Henry Fern et Bernard Ostry, dans *The Age of Mackenzie King*, James Lorimer & Company, Publishers, Toronto, 1976, p. 233.

encore, une question de politique intérieure, la conscription, débattue au sein du Parlement canadien et votée par celui-ci, devrait être résolue selon le bon plaisir de deux puissances étrangères! D'ailleurs, que venait faire Washington dans le décor? La suggestion de King à son chef révélait un inquiétant trait de caractère, plus proche du vassal que de l'esprit indépendant.

Sans doute, la crise de 1917 a-t-elle eu un effet déterminant sur sa personnalité et, à sa décharge – l'âge et la maturité aidant –, King était en 1939-1940 sincèrement préoccupé par l'unité nationale, et pas seulement pour gagner des votes! Il déclara à la Chambre en 1940: «La conscription de 1917 a pu apaiser les clameurs du moment, mais, à long terme, elle n'aurait contribué qu'à la désunion nationale[95].» Il savait que la seule évocation du service militaire obligatoire risquerait de faire voler en éclats la grande politique libérale de Laurier, conçue pour être à la fois compromis et synthèse entre les deux peuples fondateurs du pays, et qui constituait le ciment de la nation. Plus tôt dans la décennie, aux élections de 1930, le candidat libéral d'Athabasca résumait bien le discours de son parti et de son chef quand il avertissait ses électeurs: «Méfiez-vous de R. B. Bennett, l'héritier politique des Meighen et des Borden qui ont enrôlé vos fils et vos frères en 1917[96].» Aux élections de 1939, les rumeurs de guerre en l'air, King envoya à Québec trois de ses ministres: Lapointe, Cardin et Power pour soutenir le libéral Godbout contre le nationaliste Duplessis, et leur fit promettre aux Québécois de démissionner s'il y avait

---

95. Cité par H. Reginald HARDY, dans *Mackenzie King of Canada*, Oxford University Press, Toronto, 1949, p. 230.
96. Cité par Jonathan F. GOLDBLOOM, dans *Nationhood in Crisis: French Canada and WW2*, Harvard College, Cambridge, Massachusetts, 1997, p. 3.

instauration de la conscription : ce fut un raz-de-marée libéral. Entre King et le Québec, l'affaire était entendue, le sentiment passait dans les deux sens. Selon l'ambassadeur américain au Canada, Pierpont Moffat, « seul parmi les dirigeants canadiens-anglais d'aujourd'hui, Mackenzie King a confiance dans les Canadiens français et conséquemment il bénéficie de leur confiance. Il considère l'unité nationale non comme un moyen, mais comme une fin[97] ».

Mais King ne pouvait ignorer les va-t-en-guerre de l'Ontario, d'autant moins que, la guerre une fois déclarée, l'Angleterre commença à faire pression sur Ottawa pour envoyer des troupes outre-mer, appuyée en cela par les Ontariens et les conservateurs. Le 18 janvier 1940, trois mois après la déclaration de guerre, le premier ministre libéral de l'Ontario, Mitchell Hepburn, fit passer une résolution « regrettant que le gouvernement fédéral à Ottawa ait fait si peu d'efforts pour accomplir son devoir dans la guerre d'une manière aussi vigoureuse que le peuple du Canada désire le voir faire[98] ». Pour l'opinion canadienne-anglaise, la guerre signifiait la conscription. La Légion canadienne, la plus grande organisation de vétérans, poussait les pions plus loin encore et réclamait la mobilisation de toutes les ressources du pays, c'est-à-dire la guerre totale. En guise de rappel, ni le territoire ni les intérêts vitaux du Canada n'étaient menacés et, en supposant que la population canadienne ne fût composée que de Canadiens anglais, l'effort de guerre n'avait pas besoin d'être aussi radical à cette étape-ci du conflit. Pris dans le feu croisé de la surenchère anglo-canadienne et des réticences québécoises, empêtré dans sa double et

---

97. *Ibid.,* p. 7.
98. GRANATSTEIN et MORTON, *op. cit.*, p. 179.

contradictoire promesse d'aller au secours de la mère patrie et de ne pas instaurer la conscription, King révéla, à ce moment-là et pour la durée de la guerre, son génie manœuvrier qui consistait essentiellement à adopter un programme ou une loi, puis attendre que le temps fasse son œuvre pour l'appliquer. C'était le même homme politique qui, en 1917, proposait à son chef Laurier de ne pas abroger la Loi sur la conscription, mais de ne pas l'appliquer.

Pour répondre aux impatiences des Canadiens anglais, King fit adopter le National Resources Mobilization Act (NRMA) qui donnait «au gouvernement des pouvoirs spéciaux pour mobiliser toutes les ressources humaines et matérielles pour la défense du Canada». Et pour apaiser les inquiétudes des Canadiens français, il affirma que le NRMA était confiné «exclusivement à la défense du Canada, sur son territoire et sur ses eaux». Et pour montrer aux uns et aux autres que la défense du Canada n'était pas seulement liée à celle de la Grande-Bretagne, que le Canada n'était pas isolé en Amérique du Nord et qu'il était capable d'agir de façon indépendante, King signa avec Roosevelt, son condisciple de Harvard, l'accord sur la création du Permanent Joint Board on Defence (PJBD) qui garantissait la sécurité du Canada. Bien qu'il ne modifiât pas substantiellement le cours des choses, l'accord d'Ogdensburg[99] infléchissait la diplomatie et la défense du Canada dans un sens que n'apprécièrent guère les zélateurs de l'Empire. Arthur Meighen, ancien premier ministre conservateur, était furieux: «J'ai réellement perdu tout appétit ce matin, écrit-il à un ami, après avoir lu la nouvelle de l'accord… et regardé la photo dégoûtante de ces potentats [King et Roosevelt] qui posaient comme

99. Lieu où fut signé l'accord (PJBD).

des singes au beau milieu de la pire crise de l'Empire[100]. »
Et Frank Underhill de l'Université de Toronto voyait juste
quand il déclara que les Canadiens ne pouvaient plus
mettre tous leurs œufs dans le panier britannique. Même
Churchill, sans égard pour la souveraineté canadienne,
télégraphia à King pour lui exprimer son désagrément
devant ce qu'il considérait comme une dérobade du
Canada à l'égard de l'Empire.

On l'a connu manœuvrier, mais, avec l'accord
d'Ogdensburg, King fit montre d'une lucidité d'homme
d'État. Il comprit que les vieilles puissances européennes,
déjà fortement affaiblies par la Grande Guerre, n'étaient
plus à la hauteur de leurs prétentions impériales et que,
si elles s'embarquaient encore une fois dans une guerre
totale, elles en sortiraient exsangues. A-t-il pressenti que
son voisin du Sud, doté de ressources considérables et des
industries les plus performantes que le monde n'ait jamais
connues, était « appelé par un dessein secret de la
Providence à tenir un jour dans ses mains les destinées
de la moitié du monde[101] » ? En tout cas, l'allégeance de
King à l'égard de l'Empire britannique n'était plus exclu-
sive ; certes, il ne trompait pas Londres ni ne couchait
avec Washington, mais son flirt avec Roosevelt laissait
apparaître une égratignure dans le bel édifice impérial.

Cependant, les diversions et les manœuvres de King
ne suffisaient pas à tempérer les ardeurs des conscrip-
tionnistes (surtout au sein de son Cabinet), qui se
méfiaient de plus en plus de sa posture d'« attentisme
vigilant ». La crise qui s'annonçait était « entièrement
politique et psychologique[102] ». Rien, aucune bataille

100. Granatstein et Morton, *op. cit.*, p. 190.
101. Alexis de Tocqueville, *De la démocratie en Amérique*, Union
générale d'édition, coll. 1018, Paris, 1963, p. 215.
102. Pickersgill, *op. cit.*, p. 333.

majeure ni l'ouverture d'un nouveau front, ne nécessitait l'envoi de renforts outre-Atlantique. Il était évident que, pour les opposants de King, la conscription symbolisait l'effort de guerre totale et l'attachement organique du Canada à l'Empire. Même le général McNaughton, l'officier le plus haut gradé de l'armée, dit à King « qu'il déplorait tout le brouhaha fait autour de la conscription… que cette question n'aurait jamais dû être soulevée… si votre gouvernement m'avait avisé[103] que la conscription était à l'ordre du jour, j'aurais demandé, pour l'amour de Dieu, de n'en rien faire[104] ».

Entre le ministre Ralston, qui s'impatientait, et le ministre Power[105], qui avait promis aux Québécois qu'il n'y aurait pas de conscription, King sentit qu'il ne pourrait plus faire le grand écart. *Damned if he did, damned if he didn't.* Pour briser le nœud gordien et reconquérir la maîtrise du terrain, King lança, dans le discours du trône de 22 janvier 1942, son initiative : un plébiscite pour relever le gouvernement de sa promesse concernant la conscription. La manœuvre réussit contre Ralston, Meighen et compagnie. À l'égard du Québec, King avança que le plébiscite qu'il avait remporté avec la majorité anglo-canadienne ne l'engageait pas à instaurer la conscription. Ainsi, il reprenait la proposition faite à Laurier en 1917 : adopter une loi sur le service militaire obligatoire, mais ne l'appliquer que « si nécessaire[106] ».

---

103. McNaughton se trouvait alors en Angleterre.

104. PICKERSGILL, *op. cit.*, p. 358.

105. Power fut le seul ministre à honorer sa promesse de démissionner du gouvernement en cas d'instauration de la conscription.

106. Comprendre que lui seul déciderait quand l'appliquer ! D'ailleurs, comme pour la Grande Guerre, la conscription n'eut aucun effet sur le champ de bataille. Elle ne fit que creuser les divisions entre Canadiens français et Canadiens anglais, et rendre l'élite britannique admirative du génie manœuvrier de King.

L'argument ne passa toutefois pas auprès des Québécois qui se sentirent trahis. Le premier ministre libéral du Québec, Adélard Godbout, allié de King, qualifia la conscription de « crime ». André Laurendeau écrivit dans *Le Devoir* que « les Canadiens français ne reconnaissent aucune validité au plébiscite[107] ». Les nationalistes, groupés dans la Ligue pour la défense du Canada, créèrent un parti – le Bloc populaire – pour dénoncer les agissements d'Ottawa. Et en 1944, le retors Duplessis, dont le bilan de premier ministre en 1936-1939 avait été nul, battit Godbout, pionnier de la Révolution tranquille, sur la seule question de la conscription.

Paradoxalement, le Parti libéral fédéral se maintint au pouvoir à Ottawa, longtemps après la guerre (King jusqu'à sa mort en 1950 et Saint-Laurent* jusqu'à 1957), pour une raison très simple : l'option conservatrice aurait été infiniment plus néfaste pour les Québécois. Au moins, avec King comme premier ministre et Saint-Laurent à un poste-clé du Cabinet, les Canadiens français avaient le sentiment qu'ils étaient protégés contre les coups de boutoir des zélateurs de l'Empire. Et ils n'avaient pas tort. En automne 1944, Ralston, ministre de la Défense, en tournée en Europe, décida de constater que l'armée canadienne manquait de 15 000 fantassins et proclama que la « conscription si nécessaire » s'appliquait en l'occurrence : King refusa de peur de mettre en péril l'unité nationale et dit à Ralston que, de toute manière, la guerre était en passe d'être terminée. Ralston démissionna et fut remplacé par le général McNaughton qui, revenu de ses bravades du début de la guerre[108], pensait que la seule addition de troupes n'était pas la solution à tous les

107. GOLDBLOOM, *op. cit.*, p. 14.
108. Voir p. 44.

problèmes. King et McNaughton eurent raison de ne pas céder aux Cassandres impériales : les forces canadiennes se comportèrent magnifiquement en Normandie et en Hollande sans besoin de renforts, et remportèrent victoire après victoire durant les deux dernières années de la guerre.

La victoire en demi-teintes de Mackenzie King

La fin de la guerre sonna le glas des empires coloniaux et inaugura l'émergence d'un nouvel ordre mondial. Quoique victorieuse, l'Angleterre, lasse de ses gloires passées et présentes, répudia, à la suite d'une banale élection législative, le lion Churchill qui rugissait encore que le soleil ne se coucherait jamais sur son cher empire. Elle se donna à Clement Attlee qui lui assura protection sous la tutelle de l'État-providence et se débarrassa subrepticement des joyaux de l'Empire victorien comme de vieilles hardes après le décès de leur propriétaire.

Déjà, le 24 janvier 1944, Lord Halifax, ambassadeur britannique aux États-Unis, déclarait : « Nous voyons trois grandes puissances, les États-Unis, la Russie et la Chine, grandes en population, en superficie et en ressources nationales… Si, à l'avenir, la Grande-Bretagne entend jouer un rôle dans le monde sans porter des fardeaux plus lourds qu'elle ne peut supporter, elle doit avoir en temps de paix la même force qui l'a soutenue en temps de guerre. Non pas la Grande-Bretagne seulement, mais l'Empire et le Commonwealth britanniques doivent être la quatrième puissance du groupe sur laquelle la Providence et la paix du monde pourront désormais compter[109]. » Lord Halifax voyait juste en « voyant trois

---

109. GOLDBLOOM, *op. cit.*, p. 35.

grandes puissances, les États-Unis, la Russie et la Chine... » Sauf que la Chine devrait attendre encore quelque temps avant de prétendre à ce rang! Quant à la Russie soviétique, elle étendait son empire sur l'Europe de l'Est et clôturait son domaine à la façon d'un cadastre.

Pour les démocraties occidentales, seuls les États-Unis d'Amérique offraient le leadership nécessaire à la stabilité et à l'équilibre du monde. «Au lendemain de la deuxième guerre du siècle, les États-Unis, dont le rêve historique avait été de se tenir à l'écart des affaires du Vieux Continent, se trouvèrent responsables de la paix, de la prospérité, de l'existence même de la moitié de la planète. Des G.I. tenaient garnison à Tokyo et à Séoul vers l'ouest, à Berlin vers l'est. L'Occident n'avait rien connu de pareil depuis l'Empire romain. Les États-Unis étaient la première puissance authentiquement mondiale puisque l'unification planétaire de la scène diplomatique était sans précédent. Le continent américain occupait par rapport à la masse eurasiatique une position comparable à celle des îles Britanniques par rapport à l'Europe: les États-Unis reprenaient la tradition de l'État insulaire en s'efforçant d'élever une barrière à l'expansion de l'État terrestre dominant, au centre de l'Allemagne [face à l'Union soviétique], et au milieu de la Corée [face à la Chine][110]. » Aux empires coloniaux se substituèrent l'empire protecteur américain à l'ouest et l'empire totalitaire à l'est. À l'Angleterre succédèrent les États-Unis! L'Empire est mort! Vive l'Empire!

Évidemment, pour toutes sortes de raisons géographiques, politiques et culturelles, le Canada devenait l'allié

---

110. Raymond ARON, *Paix et guerre entre nations*, Calmann-Lévy, Paris, 1962, p. 13.

immédiat du nouvel empire. Et Mackenzie King aimait cela, lui, l'ancien de Harvard et ami de Roosevelt, dont la prescience lui avait fait sentir, dès 1917, le rôle prépondérant que jouerait son voisin du Sud. Mais le Canada n'était plus ce dominion excentrique au territoire immense, aux hivers difficiles et à la gendarmerie emblématique. En 1945, le Canada était la troisième puissance maritime et la quatrième puissance aérienne au monde, premier producteur mondial de nickel, de platine, d'amiante, de radium, deuxième d'or et de pâtes et papier, troisième d'aluminium, quatrième de zinc, de cuivre, de cobalt ; deuxième exportateur mondial, quatrième producteur d'équipements militaires…[111] Le Canada s'était même permis d'accorder, durant les deux premières années de la guerre, une aide de un milliard de dollars à l'Angleterre. En pleine guerre, *The Economist* de Londres écrivait ceci : « Si la petite population du Canada l'empêche d'occuper le rang d'une grande puissance, ce pays s'est, durant les trois dernières années, fait une place spéciale dans une catégorie à part. Eu égard à ses ressources, son effort de guerre a été incomparable. En termes absolus, la distance qui sépare le Canada d'une grande puissance est inférieure à celle qui sépare ses propres accomplissements de ceux de tout autre membre des Nations unies[112]. »

Beaucoup d'observateurs ont constaté l'émergence de cette puissance. Dans son *Mackenzie King of Canada*, écrit en 1949, Reginald Hardy affirmait sans nuance : « This time [1942], Canada was playing the role of a major world power[113]. » Comparé à la Chine, encore occupée et

---

111. Statistiques tirées de *Canada : New World Power*, de Luisa W. PEAT, George J. McLeod Limited, 1945, Toronto.

112. *Ibid.*, p. 269.

113. Reginald HARDY, *op. cit.*, p. 229.

livrée à la guerre civile entre communistes de Mao et nationalistes de Chang, et à la France, meurtrie par quatre années d'occupation, le Canada, qui fut l'arsenal et le grenier de l'Angleterre et qui participa à la libération de la France et des Pays-Bas, pouvait sans forfanterie prétendre, au moins autant que la France et la Chine, à un siège permanent au Conseil de sécurité des Nations unies. Certes, Roosevelt ne voulait pas en entendre parler, craignant que le Canada qu'il considérait n'être qu'un affidé de la Grande-Bretagne ne renforce pas trop la position britannique et surtout de son empire colonial – un type de régime n'entrant pas dans ses catégories admises. Quant à Churchill, il ne voyait dans ce pays qu'un auxiliaire, puissant sans doute, mais rien de plus. Dans une telle situation, seul un jeu de puissance est susceptible de marquer des points : cette tactique de hockey, les Canadiens y sont passés maîtres. En 1918, Borden avait bousculé toutes les pesanteurs et tous les obstacles pour obtenir un siège au traité de Versailles et à la Société des nations : il avait su accompagner son engagement militaire de l'exigence d'une plus grande indépendance du Canada dans le concert des nations.

À ce chapitre, Mackenzie King fut décevant. Il ne réclama rien et donc n'obtint rien, ni de Roosevelt, son ami et nouvel allié, ni de Churchill qu'il soutint sans réserve. Était-ce dû à un tempérament timoré, plus enclin à finasser et à manœuvrer qu'à trancher et à exiger ? À une attitude frileuse d'ancien colonisé mal à l'aise dans la cour des grands ? À la Conférence de Québec de 1944 dont il était l'hôte, et où Churchill et Roosevelt discutèrent des affaires du monde, il « ressemblait à un homme qui aurait prêté sa maison pour tenir une réception », et il admit qu'il s'était senti comme le « directeur général du Château Frontenac[114] ». L'occasion était unique : le Canada faisait partie des quatre nations victorieuses, et on ne lui allouait qu'un siège ordinaire à l'ONU, inférieur en rang à celui de la Chine et de la France, deux nations brisées et occupées ! Absent de Yalta et de Postdam[115], Mackenzie King faisait de la figuration ailleurs et, de son propre aveu, jouait les utilités. Bien sûr, avec le recul, la critique est aisée. Mais la plupart des historiens s'accordent sur un fait : King fut un authentique homme d'État dont l'envergure ne fut cependant pas à la hauteur des circonstances et des enjeux extraordinaires de la guerre.

À son crédit, le Canada devint une grande puissance industrielle et pouvait s'enorgueillir de sa formidable contribution à la victoire des Alliés. À l'intérieur, il réussit, tant bien que mal, à préserver l'unité de son parti et à limiter les dégâts causés par la crise de la conscription. Toutefois, il manquait à Mackenzie King une vision du rôle que le Canada était appelé à jouer dans le monde. Évidemment pas celui d'un impérieux conquérant, mais celui d'un médiateur de poids que, quelques années plus tard, un gentleman-diplomate de l'école classique, Lester B. Pearson, réussira à établir à la face du monde et au bénéfice de la paix entre les nations.

---

114. Goldbloom, *op. cit.*, p. 35.
115. Conférences tripartites où les dirigeants des États-Unis, de l'Union soviétique et de la Grande-Bretagne se répartirent les zones d'influence et décidèrent de l'après-guerre.

CHAPITRE II
L'éclat de la souveraineté

> « Le Canada a un rôle à jouer dans le monde. Nous ne
> devons pas tout le temps être le croupion des armées
> britannique ou américaine. Le Canada peut être un
> leader en politique étrangère, nous ne rendons service
> à personne en étant les serviteurs des grands… Il y a
> une vision canadienne du monde qui est importante
> pour l'exercice de notre souveraineté. »
>
> Paul Martin,
> entrevue du 7 février 2007, Stein & Lang

AVANT 1945, LE CANADA faisait la guerre pour plaire à l'Empire. Après cette date, il a fait de la guerre l'instrument d'une politique souveraine et suivant les exigences de celle-ci : c'est une révolution que l'on doit principalement à Lester B. Pearson*.

Fondée sur le principe de la sécurité collective et la reconnaissance des États comme seuls protagonistes des relations internationales, la pensée de Pearson n'en est pas moins attachée aux nécessités de la géographie, aux affinités culturelles et à l'apport de l'histoire. Elle emprunte à l'idéalisme le concept selon lequel les grands problèmes du temps peuvent être résolus par la diplomatie et la concertation entre les puissances du moment ; toutefois, elle prend en compte les réalités telles que les appétits des nations insatisfaites, l'aventurisme de certains dirigeants politiques et militaires ainsi que la gloutonnerie des tyrans. *Ultima ratio regum*, la force ne saurait être utilisée qu'en dernier ressort, toujours accompagnée de mesures qui préservent l'avenir : pas de capitulation ni de destruction totale de l'adversaire, elle est plutôt une force consciente que l'adversaire d'aujourd'hui sera l'allié ou le partenaire de demain. Dans ce sens-là, cette pensée est de facture classique : on ne peut empêcher la guerre, mais on l'incorpore dans un ensemble complexe de diplomatie, de bon sens et d'à-propos. Richelieu* disait à son roi : « La force doit être fondée sur la raison et non sur la passion[1]. » À cet égard, Pearson se plaignit souvent de l'*emotionalism*[2] de ses alliés américains durant la guerre de Corée quand ceux-ci iront au-delà du cadre de la politique fixée par l'ONU.

Nul mieux que Montesquieu n'a exprimé avec autant d'exactitude l'esprit de cette politique faite d'équilibre et de réalisme : « Le droit des gens est actuellement fondé sur ce principe : que les diverses nations doivent se faire, dans la paix, le plus de bien et, dans la guerre, le moins de mal qu'il n'est possible, sans nuire à leurs véritables intérêts[3]. » D'inspiration machiavélienne en ce sens qu'ils privilégient une méthode d'action basée sur les réalités et non sur une idéologie ou une transcendance divine, mais magnifiés par l'accent mis sur le droit et la bonne mesure, les principes qui dictent cette politique vont comme suit : l'État comme seule unité des relations internationales, l'indifférence à l'idéologie et au système politique d'un État (Pearson n'a jamais rompu le dialogue

---

1. Ailleurs dans son *Testament politique*, il écrit : « La raison doit être la règle de la conduite d'un État. La lumière naturelle fait connaître à chacun que, l'homme ayant été raisonnable, il ne doit rien faire que par raison, puisque, autrement, il serait contre sa nature… » Cité par Gabriel HANOTAUX, *Histoire du cardinal de Richelieu*, tome VI, Plon, Paris, 1947, p. 193.

2. John ENGLISH, *The Worldly Year; The Life of Lester Pearson*, vol. II, 1949-1972, Alfred A. Knopf, Canada, Toronto, 1992, p. 56.

3. *De l'esprit des lois*, I, 3, Œuvres complètes, Seuil, 1964, p. 531.

avec l'URSS, même aux pires moments de la guerre froide, et aurait voulu reconnaître la Chine de Mao, mais les pressions des États-Unis et de la faction très conservatrice des Communes à Ottawa l'en ont empêché), la nécessité ou l'intérêt comme motivation de la paix et de la guerre, la non-ingérence dans les affaires internes des autres États. Tous ces principes s'appuient donc sur la réalité et résultent de l'expérience des deux guerres mondiales. Issus de l'évolution historique, et non de quelque *a priori* dogmatique, ces principes visent l'équilibre entre les puissances, lequel est nécessaire pour maintenir une certaine harmonie dans l'ordre international.

Pragmatique, la pensée de Pearson – et c'est là son originalité – inscrit la *nécessité de la guerre* dans la sécurité collective : « [...] le principe de la sécurité collective, qui a été abandonné dans les années 1930, devrait, dans les années 1950, être remis en vigueur... La Corée du Sud était distante, son gouvernement corrompu... mais, pour Pearson, la guerre n'était pas faite pour soutenir ce pays peu engageant, mais plutôt pour la sécurité collective et l'ONU, et aussi important, contre l'État communiste expansionniste[4]. »

Par sécurité collective, on entend « le règne du droit, fondé sur le consentement des gouvernés, et soutenu par l'opinion organisée de l'humanité[5] ». Mais le droit, pour être efficace, doit être appuyé par la force : « La force, la force jusqu'à l'extrême, la force sans réserve ni limite, la force juste et triomphante qui fera du droit la loi du monde et fera mordre la poussière à toute domination égoïste[6]. » Artisan de la sécurité collective, Woodrow

---

4. ENGLISH, *op. cit.*, p. 30.
5. Woodrow WILSON, Discours du Mount Vernon, 4 juillet 1918.
6. W. WILSON, Discours du 6 avril 1918.

Wilson n'est pas un pacifiste puisqu'il reconnaît que des agresseurs, il y en aura toujours, et que l'usage de la force est nécessaire, mais une force collective fondée sur le droit « tellement plus grande que celle de n'importe quelle nation engagée dans n'importe quelle alliance... qu'aucune nation, aucune éventuelle combinaison de nations ne pourrait l'affronter ou lui résister[7] ». Au lieu de la Sainte Alliance des puissances de Metternich*, un concert bien établi de puissance !

Pearson a vingt ans quand Wilson expose sa vision du nouvel ordre mondial. Mais il a été témoin de la Grande Guerre et, surtout, de l'échec de la politique de sécurité collective de Briand-Kellog* et de la SDN* de l'entre-deux-guerres, échec causé par le retrait unilatéral des États-Unis des affaires du monde, les appétits des puissances insatisfaites du traité de Versailles (Italie, Allemagne), la faiblesse des démocraties victorieuses (France, Grande-Bretagne) et, bien entendu, l'impuissance congénitale de la SDN, théoriquement souveraine, mais pratiquement émasculée. La SDN n'avait que le droit international pour elle, et aucun bras armé pour le faire respecter. Or, nous savons depuis Pascal que « la justice sans la force est impuissante ; la force sans la justice est tyrannique (*Pensées*, 298). » Le jeune diplomate Pearson assista, impuissant, comme beaucoup d'idéalistes de son époque, à la montée des périls causée par l'alliance des totalitarismes et des militarismes qui a suivi le traité de Versailles. La Deuxième Guerre mondiale ne fit rien pour le dissuader que l'ordre mondial avait besoin, plus que jamais, d'une organisation qui n'était point seulement un réceptacle de protestations et un champ ouvert d'éloquence

---

7.   W. WILSON, *Why we are at War, Messages to Congress*, janvier-avril 1917, p. 7-8.

comme le fut la SDN – morte de sa belle mort à la première grosse alerte –, mais d'une organisation qui disposait d'un bras armé pour arrêter l'agression, rééquilibrer les forces en présence, introduire un peu d'ordre et de stabilité dans le monde. Encore Pascal : « Il faut donc mettre ensemble la justice et la force ; et pour cela faire que ce qui est juste soit fort, ou ce qui est fort soit juste (298). »

Après 1945, s'offrait l'ONU, forum de nations souveraines avec son bras armé, le Conseil de sécurité, et, dans l'esprit de Pearson, une force internationale capable de mettre en œuvre les décisions du Conseil et de s'interposer entre les belligérants. Conscient que le Canada était une puissance moyenne « prise en sandwich entre deux superpuissances[8] », Pearson savait que le pays ne pourrait jouer un rôle de médiateur ou de conciliateur que s'il était allié à d'autres puissances moyennes et au sein d'instances internationales. Le Canada n'était plus un dominion de l'Empire et ne serait pas l'auxiliaire de l'Amérique : il ne serait maître de sa politique extérieure et ne pourrait exercer sa souveraineté qu'en s'engageant avec d'autres pays dans le processus diplomatique et l'action militaire. Fini le temps du *Ready, Aye, Ready* à l'Empire, fini aussi le temps où les guerres définissaient la politique étrangère du Canada : désormais, l'homme d'État prend le pas sur le militaire et le commande.

Dans un discours prononcé à Vancouver en 1948, Pearson déclara : « Nous savons d'instinct que le Canada ne peut assurer et maintenir sa prospérité que sur la base du multilatéralisme – qui est un autre nom pour

---

8. Pearson, cité par Costas MELAKOPIDES, dans *Pragmatic Idealism, Canadian Foreign Policy, 1945-1995*, McGill-Queen's University Press, Montréal et Kingston, 1998, p. 30.

l'internationalisme[9]. » Puisque, dans la pensée de Pearson, la guerre était subordonnée au politique et celui-ci à des principes supérieurs, il serait intéressant de remonter à la source morale et intellectuelle de cet idéalisme. Déjà, en janvier 1947, à l'Université de Toronto, Louis Saint-Laurent, son prédécesseur aux Affaires extérieures et futur premier ministre, avait qualifié l'ONU de premier forum multilatéral pour régler les affaires du monde, ajoutant : « Aucune politique étrangère n'est conséquente ou cohérente à terme à moins qu'elle ne soit fondée sur une conception des valeurs humaines[10]. » Et après avoir affirmé la nécessité pour le Canada de refouler les tentations isolationnistes, ne fût-ce que pour des raisons économiques, Saint-Laurent conclut son exposé : « Ainsi nous avons un rôle utile à jouer dans les affaires du monde, utile à nous-mêmes en étant utiles aux autres[11]. »

Comment ? Toujours à l'intérieur de l'ONU et en vertu d'un mandat délivré par elle, en coopération avec les puissances moyennes de tous les continents (d'où le souci de Pearson d'associer l'Inde, par exemple, à ses initiatives diplomatiques) ! Car « nous pouvons influencer efficacement les affaires internationales non en recourant à un nationalisme agressif, mais en gagnant le respect des nations avec lesquelles nous coopérons… les pays doivent travailler ensemble au sein des Nations unies plutôt qu'en dehors d'elles[12] ».

Cette politique est-elle possible ? Est-ce un vœu pieux ? N'y a-t-il pas danger de se perdre en chimères pendant que les tenants de la force brute exercent leur tyrannie

---

9. *Ibid.*, p. 50-51.
10. *Ibid.*, p. 6.
11. *Ibid.*, p. 7.
12. *Ibid.*, p. 7.

sur les faibles? Bien entendu, l'idéalisme pragmatique a ses limites comme, du reste, toute autre conception de la politique internationale: malgré son remarquable génie politique et militaire, Napoléon a fini à Saint-Hélène, et la France est revenue, en 1815, à ses frontières *ante bellum*; à cause du génie maléfique d'Hitler, l'histoire a failli s'arrêter aux portes d'Auschwitz et l'Allemagne nazie s'est achevée dans la pire tragédie de l'histoire de l'Europe; tout l'empire accumulé des Soviets, à la façon d'un cadastre, a été sérieusement lézardé par l'action conjuguée d'un pape (Le pape? Combien de divisions?) et d'un modeste syndicaliste[13], pour finalement s'écrouler parce que les peuples, même désarmés, avaient faim de pain et de liberté. Même le système diplomatique de Bismarck*, qui était un chef-d'œuvre d'équilibre et de stabilité, ne lui a pas survécu – Guillaume II, tout à ses ambitions, n'ayant pas jugé bon de combiner prudence, subtilité, audace et intelligence!

C'est dire que la gloire des armes, quand elle n'est pas au service de principes supérieurs, se meurt dans les sables mouvants de l'illusion. C'est dire aussi que les systèmes les mieux établis demeurent fragiles. Quelle que soit donc la vision de l'ordre mondial, qu'elle soit celle de la puissance et de l'Empire, celle du pacifisme ou de l'idéalisme, elle est toujours aux prises avec les limites qu'imposent des situations qu'on ne maîtrise pas et des protagonistes qui n'agissent qu'en fonction de leurs égoïsmes et de leurs ambitions. D'où la nécessité d'un ordre mondial aux assises réglées sur des principes

---

13. Il s'agit du pape Jean-Paul II et du syndicaliste Lech Walesa. Quant à la boutade entre parenthèses, nous paraphrasons le cynique Staline qui appréciait les dirigeants du monde en fonction du nombre de leurs armées.

institutionnalisés et qui soit arbitré par des organismes reconnus par tous!

Lucide, Pearson était conscient que l'idéalisme, qui n'a pas prise sur la réalité, tourne à vide. Cependant, se résigner à n'être que le supplétif de l'empire américain en guerre contre l'empire soviétique – quand bien même sa culture, ses affinités politiques et ses amitiés le portaient à être un allié des États-Unis – lui était insupportable. Insupportable aussi le fait d'assister, passif, au désordre dans le monde! Son idéalisme consistait à utiliser toutes les ressources de la diplomatie, de la négociation, de la prise en compte des variables et des différences, pour freiner les appétits et les agressions des uns et des autres, et tempérer l'aventurisme de ses propres alliés (Mac Arthur en Corée, Eden à Suez[14]). Il aurait pu faire sienne l'analyse de Raymond Aron dans *Paix et guerre entre les nations*: «Tant que l'on "parle" au lieu de "se battre", les raisons de fait et de droit ne sont pas sans influence sur l'interlocuteur. La diplomatie, substitut de la guerre, ne se borne pas à consigner, à chaque instant, l'aboutissement supposé de celle-ci[15].»

La nécessité et les limites de la politique de Pearson

La guerre de Corée fut la première illustration de l'action de Pearson à l'intérieur des Nations unies. Le 25 juin 1950, sans provocation aucune, cinq divisions de la Corée du Nord franchissaient le 38e parallèle et investissaient la capitale de la Corée du Sud, Séoul. C'était la guerre. Car, après avoir perdu la Chine conquise par Mao, un an plus tôt, les États-Unis ne pouvaient se permettre d'abandonner

---

14. Voir p. 84-87.
15. Calmann-Lévy, Paris, 1962, p. 79.

toute la péninsule coréenne entre les mains des communistes : leur crédibilité en tant que leader du monde libre en eût été affectée. De son côté, Pearson, alors ministre des Affaires extérieures dans le gouvernement Saint-Laurent, voulait éprouver les mécanismes d'intervention de l'ONU qui avaient fait défaut à la SDN. Il comprit aussi que toute action militaire devrait impliquer la puissance militaire américaine puisque ni l'ONU ni les alliés de l'OTAN• ne disposaient d'une capacité d'intervention suffisante pour refouler les Coréens du Nord. En même temps, il était de la première importance que toute action militaire soit décidée et encadrée par l'ONU.

Pour Pearson, « il y aurait un grave danger de voir le conflit devenir un affrontement global entre communistes et anticommunistes si les États-Unis agissaient unilatéralement[16] ». Profitant de l'absence du représentant soviétique (et de son veto) à New York, le Conseil de sécurité vota la résolution recommandant « que les membres des Nations unies fournissent l'assistance nécessaire à la République de Corée afin de refouler l'agression armée et de restaurer la sécurité et la paix dans la région ».

Le président Truman ordonna au général MacArthur de riposter le plus rapidement possible et de reprendre le terrain perdu, ce que réussit à faire brillamment celui-ci en débarquant à Inchon, près de Séoul, prenant à revers les troupes nord-coréennes, coupant leurs lignes de communication et détruisant littéralement celles-ci. Trois mois après l'adoption de la résolution du Conseil de sécurité, l'objectif – refouler les Coréens du Nord au-delà du 38e parallèle, mettre sur pied une solide armée

16. Cité par Denis STAIRS, dans *The Diplomacy od Constraint, Canada, The Korean War and the US*, University of Toronto Press, Toronto, 1974, p. 34.

sud-coréenne – était atteint. Et à ce point précis de la guerre, les positions de Washington et d'Ottawa divergèrent : pour Ottawa, le conflit armé était terminé, l'objectif atteint, l'agression stoppée ; pour Syngman Rhee, le président de la Corée du Sud, et MacArthur, l'occasion était trop belle pour se priver de reconquérir toute la péninsule coréenne et – pourquoi pas ? – reprendre la Chine à Mao. Passant outre aux conseils de prudence des diplomates alliés et des généraux américains : « Franchement, selon l'opinion des chefs d'état-major, cette stratégie, celle de MacArthur, nous engageait dans une guerre fausse, aux faux endroits et à un faux moment, et contre le faux ennemi[17]. » MacArthur, accroché à sa logique militaire, porta ses troupes jusqu'au Yalou, à la frontière chinoise, loin au nord du 38e parallèle. Mal lui en prit : une armée de « volontaires » – 30 divisions, 300 000 hommes sous le commandement de Lin Piao et dotés de matériel russe – déferla sur les forces des Nations unies, dont celles du Canada, dispersées en éventail, éloignées de leurs bases de ravitaillement, qui retraitèrent dans les conditions les plus difficiles jusqu'à 100 km au sud du 38e parallèle. Puis on en revint à une ligne de front qui suivait grosso modo la frontière d'avant-guerre : pendant deux années exécrables, les combats s'y éternisèrent sans que l'un des adversaires ne marque des points, jusqu'à l'armistice du 27 juillet 1953.

Très vite, le malentendu s'installa entre Pearson, dont l'objectif en Extrême-Orient était la désescalade des hostilités et le retour au *statu quo ante bellum*, et ses partenaires américains, qui entendaient, sous le couvert de l'ONU, porter un coup décisif au communisme non

---

17. Général Omar Bradley, cité par Robert ARON, dans *L'Histoire contemporaine depuis 1945*, Larousse, Paris, 1969, p. 321-322.

seulement en Corée du Nord, mais aussi et surtout en Chine. En principe, la résolution de l'ONU était censée encadrer l'action militaire des États-Unis et contraindre les militaires du Pentagone à partager la prise de décision avec leurs alliés : telle était la politique des tenants de la sécurité collective que le Canada s'évertuait à mettre en pratique, et qui servirait éventuellement dans d'autres conflits. Confiner les opérations militaires dans les limites assignées par les décisions du Conseil de sécurité, subordonner les initiatives des généraux aux instructions des hommes d'État, éviter tout débordement de part et d'autre afin de prévenir des complications incontrôlables[18] : classique, cette conception de la diplomatie se heurtait à la configuration idéologique de la guerre froide, au déploiement de forces militaires gigantesques et sans commune mesure avec les armées des siècles précédents, et surtout au refus de certains protagonistes d'y adhérer ou de se plier aux pressions de leurs alliés.

Dans cet ordre d'idées, l'agression de la Corée du Sud par la Corée du Nord a été décidée par le dictateur de Pyongyong, Kim Il Sung, sans concertation avec ses alliés chinois, et il n'est pas sûr que la Chine serait intervenue dans le conflit sans l'aventurisme de MacArthur. Quant à l'URSS de Staline, qui armait Coréens du Nord et Chinois, mais qui s'en méfiait, elle ne voulait surtout pas être impliquée dans un conflit qui ne lui aurait rien rapporté. D'ailleurs, à l'Ouest, la faction des ultras, militaires et civils confondus, n'entendait pas suivre les

---

18. « Control is what politics is all about », disait le fameux journaliste Theodore H. White, cité par Bob WOODWARD, dans *The War Within*, Simon & Schuster, NY, 2008, p. 20. Woodward ajoute, mentionnant le manque de cohésion de l'administration Bush quant à la guerre en Irak : « War also is about control – both on the battlefield and in Washington. »

conseils de prudence des Alliés, encore moins se plier aux exigences de l'ONU. Une fois la résolution adoptée, ces ultras se sentirent libres d'agir en fonction d'une politique de puissance propre à leurs intérêts et conforme à leurs visées géopolitiques. Pearson péchait par optimisme, car l'idée de sécurité collective butait sur les *égoïsmes sacrés* des États hégémoniques.

Pearson se rendait compte que l'intervention internationale en Corée était « en théorie » une opération onusienne, mais il ne lâchait pas prise, admonestant Washington pour les imprudences de ses militaires, rappelant à son homologue Dean Acheson le cadre précis de la résolution de l'ONU : entre Ottawa et Washington, les frictions se multipliaient, l'irritation grandissait ; le malentendu était tel que, plus tard, le général Lawton Collins, chef d'état-major de l'armée américaine, s'écria : « Si vous devez faire la guerre, pour l'amour de Dieu, faites-la sans alliés[19] ! » Mais l'attitude de Pearson n'était pas caprice : elle procédait du principe que le Canada était un pays souverain, qu'il ne s'était pas affranchi de l'Empire britannique pour tomber sous la tutelle américaine, qu'il reconnaissait certes le leadership américain, mais que les États-Unis devaient se faire à l'idée qu'un allié est un partenaire et non un béni-oui-oui[20].

L'heure venue, cette attitude paya. En s'enlisant et en s'aggravant, la guerre en Corée risquait de menacer la paix mondiale, car la Russie soviétique ne pouvait rester inactive, sous peine de perdre sa crédibilité et son influence auprès de ses alliés, au profit de la Chine. La politique de modération et de médiation de Pearson aux

---

19. Stairs, *op. cit.*, p. 53.

20. On assistera au même malentendu entre, d'une part, les États-Unis et la Grande-Bretagne et, d'autre part, le Canada, l'Allemagne et la France, durant la période précédant l'intervention en Irak en 2003.

Nations unies, dont il présidait l'Assemblée générale en 1952, permit l'adoption d'une résolution mettant fin au conflit et qui reçut l'agrément des belligérants. Chester Romning, haut-commissaire du Canada en Inde, écrivit, en 1966, que le succès historique de Pearson dans l'accord pour le cessez-le-feu était dû à un certain nombre de facteurs : la coopération avec l'Inde et d'autres puissances moyennes qui partageaient son point de vue, les consultations en permanence avec les membres de l'ONU qui appuyaient la résolution de cessation de la guerre et « d'amicales négociations de coulisses[21] » avec les États-Unis et les Alliés.

Il faut dire que durant toute la guerre de Corée, et malgré la participation militaire du Canada aux côtés des États-Unis, Pearson maintint de bons rapports avec l'URSS et manifesta peu d'animosité à l'égard de la Chine communiste qu'il se résignait, à son corps défendant, à ne pas reconnaître. Dans un document du ministère des Affaires extérieures, daté de novembre 1951 (en pleine guerre de Corée) et intitulé *General Limitations on Canadian Foreign Policy*, le rôle du Canada était défini comme suit : « Le Canada doit s'assurer que l'Alliance atlantique n'empiète pas sur les intérêts vitaux des Soviétiques, ce qui pourrait provoquer une réplique que l'Alliance était censée prévenir. En somme, le Canada doit travailler à l'intérieur de l'Alliance afin de protéger la sécurité de l'Occident sans menacer l'URSS[22]. »

L'originalité de la diplomatie de Pearson résidait dans sa méfiance épidermique de tout manichéisme en matière de relations internationales. Pearson n'était pas beaucoup aimé par les cercles d'idéologues et de militaires qui

---

21. MEZAKOPIDES, *op. cit.*, p. 41.
22. *Ibid.*, p. 49.

voulaient, à tout prix et en permanence, tuer du communiste. En période de guerre froide, faire dans la nuance et chercher l'équilibre quand on était «pris en sandwich entre deux superpuissances» impliquait une intelligence aiguë des réalités et le courage de résister aux pressions de son propre camp. Pour Pearson, idéalisme ne signifiait pas angélisme, mais vision claire et souple des choses dans un ordre international complexe, ouvert aux variables et aux différences – en quête de cohérence et de bon voisinage (ce que, plus tard, on appellera *coexistence pacifique* ou aussi *détente*). «Mieux vaut comprendre la diversité des mondes que rêver d'un monde qui n'est plus parce que l'on n'aime pas celui qui est[23].»

La poussée de MacArthur jusqu'au Yalou non seulement outrepassait le cadre de la résolution des Nations unies et créait un précédent dommageable pour l'avenir, mais participait d'une logique exclusivement militaire, étroite d'esprit, imperméable aux réalités et aux contingences de la politique. Ici, le réalisme n'était pas du côté de celui qui montrait ses muscles et agissait de façon inconsidérée, quelque spectaculaire et brillante que fût la manœuvre, mais du côté de celui qui entendait maîtriser le processus dans son ensemble et à travers tous ses aspects: politique, diplomatique, militaire... Art difficile que celui de concilier la nécessité d'une réplique militaire ferme et limitée avec l'exigence de maintenir le bon contact avec l'adversaire pour préserver l'après-guerre! «Malheur à l'homme d'État, disait Bismarck* au Landtag, le 3 décembre 1850, qui ne trouve pas un motif de guerre qui demeure valable après la guerre.» Les Nations unies étaient intervenues en Corée pour refouler les Coréens du Nord et rétablir le *statu quo ante bellum*; une fois

---

23. ARON, *op. cit.*, p. 144.

l'objectif atteint, la diplomatie devait entrer en jeu «pour que le motif de guerre demeure valable après la guerre». Cinquante ans après la guerre de Corée, les armées des Nations unies chassèrent l'Irak du Koweït et s'arrêtèrent à la frontière irakienne, tel que prévu par la résolution du Conseil de sécurité: la politique de sécurité collective n'était donc pas une utopie et Pearson était loin d'être un rêveur!

Et pour la première fois dans l'histoire des participations du Canada dans des guerres outre-mer, les opinions publiques du Québec et des autres provinces étaient, grosso modo, sur la même longueur d'onde. Certes, un parlementaire libéral – un seul, Jean-François Pouliot, député de Témiscouata – protesta, en Chambre, contre ce qu'il a appelé «une réunion de nations qui suivent le mouvement conduit par les États-Unis et le Royaume-Uni[24]»; certes aussi, les journaux francophones étaient partagés entre, d'une part, *L'Action catholique* et *Le Devoir* qui prônaient la non-intervention du Canada et, d'autre part, *Le Canada* et *La Presse* qui incitaient le gouvernement à la prudence. Mais le fait que le gouvernement Saint-Laurent–Pearson insistait sur le caractère onusien de l'opération, conjugué à l'envoi de soldats de métier, contribua à créer un certain consensus dans le pays. Il faut dire aussi que le Québec des années 1950 était dirigé par Duplessis dont l'anticommunisme viscéral s'apparentait à celui de McCarthy* aux États-Unis: *les lois du cadenas* qu'il avait fait adopter par l'Assemblée le situaient dans la ligne du conservatisme le plus radical.

Ainsi, la rupture de Pearson avec un passé habité par l'esprit impérial contribua à un changement profond des mentalités au Canada: le Canada anglais appuyait tout

---

24. STAIRS, *op. cit.*, p. 55.

autant les desseins de l'Empire, hier britannique, aujourd'hui américain, mais il y mettait moins de passion et ne réclamait plus, à cor et à cri, l'instauration de la conscription ; quant au Québec, si quelques voix s'élevaient encore, ici et là, contre un engagement prononcé du Canada dans des guerres lointaines, elles étaient loin de refléter l'émotion collective qui s'emparait de l'opinion publique chaque fois que les rumeurs de bruits de bottes se faisaient entendre. Grâce à Pearson, le Canada ne faisait plus la guerre des autres, mais celle qui répondait aux objectifs de *sa* politique.

Dans le contexte de la guerre froide, la guerre de Corée avait montré les limites de la diplomatie de Pearson, mais aussi sa nécessité et, dans une certaine mesure, son efficacité. À la suite de cette guerre, le Canada émergeait comme un interlocuteur international, ferme sur le principe de la souveraineté des États et du respect des décisions de l'ONU, et souple quant à la conduite des relations entre les blocs opposés. Et le prestige grandissant du Canada et de son ministre des Affaires extérieures fut d'une immense utilité dans la crise de Suez, trois ans plus tard.

Dans le *Discours pour la réception de Ferdinand de Lesseps à l'Académie française*, prononcé en 1895, Ernest Renan, clairvoyant, saluait ainsi l'œuvre du grand ingénieur : « L'isthme coupé devient détroit, c'est-à-dire un champ de bataille. Un seul Bosphore avait suffi jusqu'à présent aux embarras du monde ; vous en avez créé un second[25]. » Depuis son creusement, le canal de Suez appartenait à l'Empire britannique au même titre que le détroit de Gibraltar et le passage du Cap sur la route des

---

25. Allusion aux multiples guerres entre l'Empire ottoman, la Russie, l'Angleterre et la France pour le contrôle du détroit des Dardanelles qui relie la mer Noire et la Méditerranée.

Indes. Quand bien même, en 1956, l'Égypte était souveraine sur le territoire de Suez, les nostalgiques de l'Empire considéraient la gérance et l'usage du canal comme leur propriété indivise et inamovible. Plus d'une décennie après la fin de la Deuxième Guerre mondiale et de sa gloire d'antan, l'Angleterre s'accrochait à un simulacre d'empire sur des bases, des isthmes, des passages, des îles et des territoires éparpillés sur les continents et les océans. Dont Suez… ce qui ne faisait pas l'affaire de l'Égypte qui avait besoin de redevances pour développer son économie.

Alors, l'Égypte de Nasser* fit, en 1956, ce que l'Angleterre travailliste et la France gaullienne avaient fait en 1945 : nationaliser des industries et des services. Comme les redevances du canal de Suez revenaient à des intérêts britanniques et français privés, Nasser s'engagea à les indemniser, conformément au droit international. Mais le président Nasser (que les Occidentaux se plaisaient à appeler colonel Nasser pour bien marquer l'origine militaire de son pouvoir) n'appartenait pas au club de « clients » agréés par le premier ministre britannique Eden*, encore moins à l'Internationale socialiste que chérissait le président du Conseil français, Guy Mollet, qui ne voyait les Arabes qu'à travers le prisme de la guerre d'Algérie, c'est-à-dire l'ennemi à abattre. Et ce moins que rien de Nasser qui défiait l'Empire ! Anecdote intéressante : Anthony Eden apprit la nouvelle de la nationalisation du canal au cours d'un repas en compagnie du premier ministre irakien, Noury Saïd, allié et « client » de l'Angleterre, qui cracha sur-le-champ son venin en disant à Eden : « Kick him, kick him hard[26] ». Nasser avait le tort d'être indocile, péché originel d'Empire.

---

26. Cité par Henri Azeau, *Le Piège de Suez*, Robert Laffont, Paris, 1964, p. 121.

Alors, Britanniques, Français et Israéliens conçurent un plan qui tenait du baroque : les Israéliens occuperaient le Sinaï et, quand ils atteindraient le canal de Suez, Français et Britanniques exigeraient des deux belligérants qu'ils se retirent des rives du canal, ce qui reviendrait à demander à l'Égypte de se retirer de son propre territoire au même titre que l'envahisseur israélien. Bien entendu, l'Égypte rejeta l'ultimatum, et les forces combinées franco-britanniques attaquèrent l'Égypte (dont le Sinaï était occupé par les Israéliens), soi-disant pour rétablir la circulation maritime sur le canal, qui n'avait, du reste, jamais été perturbée.

Mais pourquoi parler de Suez qui n'intéresse ni de près ni de loin le Canada ? Parce que l'action diplomatique de Pearson en faveur du rétablissement de la paix lui valut le prix Nobel de la paix et, surtout (pour le sujet qui nous occupe), parce que Pearson rejeta, du revers de la main, la sollicitation par Eden d'un appui diplomatique et militaire, refus que celui-ci honora d'un vulgaire *miserable* en marge d'une note officielle. Pour la première fois dans l'histoire de l'Empire, un ancien dominion s'opposait aussi ouvertement à Londres. En outre, Pearson n'eut de cesse, avant et pendant l'expédition militaire, de prévenir Londres du caractère aventuriste et colonialiste de l'action entreprise, contraire au droit international et à la Charte de l'ONU. Dans *Politique tirée de l'Écriture sainte* (1709), Bossuet évoque le conquérant injuste en ces termes : « Il ne parle point d'attaquer, il croit avoir sur tous un droit légitime. Parce qu'il est le plus fort, il ne se regarde pas comme agresseur, et il appelle défense le dessein d'envahir les terres des peuples libres[27]. »

---

27. *Œuvres complètes de* BOSSUET, Éd. J. A. Lebel, 1818, Versailles, p. 450. Cette citation s'applique fort bien à l'invasion de l'Irak par les États-Unis de G. W. Bush en 2003, à laquelle s'opposa, quasiment dans les

Heureusement, Pearson reçut l'appui des États-Unis d'Eisenhower et de l'Inde de Nehru, horrifiés par les dommages irréparables faits au monde libre et au Commonwealth. Eisenhower affirma à l'ambassadeur français Hervé Alphand ce que Pearson se plaisait à répéter depuis le début de la crise : « Il faut vous retirer d'Égypte. Notre position est celle que nous dicte la Charte des Nations unies. Elle est inviolable[28]. »

De son côté, l'Inde, en concertation avec le Canada, fit pression sur l'Égypte pour que celle-ci accepte les termes du règlement proposé par Pearson : retrait des troupes étrangères et installation d'une force onusienne (Casques bleus) à la frontière israélo-égytienne. Toutefois, cette belle unanimité internationale rencontra peu d'écho auprès des nostalgiques de l'Empire. Au Canada, les conservateurs, animés par le *Globe and Mail* protestèrent violemment contre la politique du tandem Saint-Laurent–Pearson. L'ancien chef conservateur, Arthur Meighen, héraut de l'Empire, exprima dans le *Globe and Mail*, sa grande estime pour Eden, et « son opinion que le Canada aurait dû prendre exemple sur l'Australie[29] qui appuya très tôt et sans réserve la position britannique[30] ».

Après l'arrêt des hostilités et l'humiliation des deux puissances coloniales, au cours d'une séance des Communes tenue en novembre 1956, les conservateurs déplorèrent « la condamnation gratuite [par le Canada]

---

mêmes termes et dans les mêmes conditions, le premier ministre du Canada Jean Chrétien, dont le mentor fut, dans les années 1960, Lester B. Pearson. Voir à la fin du chapitre pour les détails de cet événement.

28. Cité par Terence ROBERTSON, dans *Suez*, Julliard, Paris, 1964, p. 64.

29. Des soixante-seize membres de l'ONU, seules l'Australie et la Nouvelle-Zélande appuyèrent l'expédition franco-britannique.

30. Cité dans ENGLISH, *op. cit.*, p. 142.

de l'action de la France et du Royaume-Uni conçue pour empêcher une guerre majeure dans la région de Suez». Louis Saint-Laurent répliqua, avec véhémence, que «les "supermen de l'Europe" ne pourraient plus faire la pluie et le beau temps dans le monde», et Pearson déclara que le Canada n'était pas un «garçon de peine colonial» qui criait sur tous les toits «Ready, Aye, Ready[31]».

L'action menée par Pearson à Suez réussit à prévenir que la guerre ne s'étende, du fait des menaces nucléaires lancées par les Soviétiques; elle aida l'Angleterre et la France à sauver la face dans la mesure du possible; elle sauva le Commonwealth de l'éclatement, les anciennes colonies ayant jugé sévèrement ce qu'elles percevaient comme une aventure néo-colonialiste; enfin, elle démontra que la sécurité collective n'était pas une vue de l'esprit, et que, dans un contexte donné et grâce à un jeu d'alliances et de pressions approprié, la diplomatie pouvait prendre le pas sur la guerre. En même temps qu'elle marquait la fin de l'*imperium* britannique, la résolution de la crise de Suez, au-delà du succès diplomatique immédiat pour le Canada, définissait une nouvelle façon d'aborder la question de la paix et de la guerre. Désormais, le réflexe de concertation devait remplacer celui de la force, l'habitude de négocier celle d'imposer: «On pourrait arguer que, si une querelle internationale était d'une telle ampleur que la force était envisagée, elle devrait être saisie devant et par l'ONU afin d'éviter l'usage d'une telle force[32]», disait Pearson.

Déjà, en 1955, à l'Université de Princeton, Pearson avait démontré l'étendue de sa vision de l'ordre mondial, son souci de prendre en compte les aspirations des peuples

---

31. *Ibid.*
32. *Ibid.*, p. 128.

récemment affranchis et sa volonté de sortir des ornières de la guerre froide. Pour lui, le monde ne se résumait pas au tête-à-tête idéologique États-Unis–URSS, encore moins aux égoïsmes du club fermé des grandes puissances : « Les problèmes les plus importants de notre temps ne surgissent plus entre des nations d'une même civilisation, mais entre des civilisations même », disait Pearson qui voyait dans « les aspirations du monde musulman, de l'Inde et du Sud-Est asiatique un mouvement plein de promesses pour le monde[33] ». En 1956, le diplomate et ministre Pearson s'était élevé au rang de l'homme d'État, élevant, du même coup, son pays à celui d'un protagoniste d'envergure dans les affaires du monde.

Ironie de l'histoire : au moment même où le Canada dessinait pour lui et proposait au monde une politique étrangère originale et souveraine, l'impériale et impérieuse Angleterre, discréditée par Suez, se liait, corps et biens, à l'imperium américain et était réduite à n'être plus que son appendice européen. Sa force de frappe nucléaire, elle n'en détenait pas les clés. Elle quémanda son entrée dans l'Europe des six, refusée par de Gaulle pour cause de sujétion aux États-Unis, après avoir piteusement manœuvré et échoué dans son initiative d'une Europe de libre-échange. L'Inde et le Pakistan, membres du Commonwealth, recoururent à la Russie soviétique pour régler à l'amiable leur différend sur le Cachemire. Au Proche-Orient, les États arabes se tournaient vers les États-Unis ou l'Union soviétique.

Le plus grand service que Pearson ait rendu au Canada est d'avoir substitué à l'obsession de l'Empire l'idée de la souveraineté de la nation dans la conscience des

---

33. *Ibid.*, p. 107.

Canadiens; par un détour inattendu, c'est aussi le plus bel hommage qu'il a fait aux soldats canadiens morts dans les deux guerres mondiales et en Corée: leur sacrifice était transfiguré par l'immense prestige qui rejaillissait sur leur pays. Finalement, empruntons à Bruce Hutchison l'éloge que nous devons à Pearson: «Le Canadien, dont le père tenait le Canada pour une dépendance spirituelle d'une puissance extérieure, considère maintenant son pays comme une nation pleine et entière – et de son propre chef! Ce Canadien sait mieux que son père ne le savait qu'il appartient à cette nation, et à aucune autre[34].»

Jamais la force ne s'accorda mieux avec la raison

Trente-cinq ans après Suez, la guerre du Golfe démontra que la politique de sécurité collective telle qu'elle était prônée par le Canada était possible et portait des fruits: l'héritage de Pearson lui survivait, longtemps après son retrait de la vie politique, en la personne de Brian Mulroney, conservateur comme Borden et Meighen, mais affranchi de l'obsession impériale et attaché au multila-téralisme.

Le 2 août 1990, l'Irak de Saddam Hussein envahit le Koweït, riche en pétrole et pourvu d'une façade sur le golfe Persique. À l'instar des puissances occidentales et des pays arabes, et avec l'assentiment de la Russie de Gorbatchev, le premier ministre canadien, Brian Mulroney, condamna cette agression et, immédiatement, instruisit son ambassadeur à l'ONU, Yves Fortier, de faire tout en son pouvoir afin que l'éventuelle action diploma-

---

34. *Canada: Tomorrow's Giant*, juin 1957, cité par ENGLISH, *ibid.*,
    p. 147.

tique ou militaire entreprise contre Saddam Hussein soit décidée et encadrée par le Conseil de sécurité de l'ONU. De son côté, Mulroney, au cours d'un dîner avec le président George H. Bush, insista auprès de celui-ci sur la nécessité *absolue* de recourir au Conseil de sécurité dans cette affaire : l'appui du Canada était à ce prix. Mulroney savait que, ce disant, il irritait son grand ami Bush, mal à l'aise avec l'ONU où il fut ambassadeur dans les années 1970 et durant lesquelles l'organisation était l'otage des membres tonitruants des pays « neutralistes » et communistes, et plus à même de suivre les conseils de Margaret Thatcher, qui lui avait suggéré de briser Saddam sur-le-champ.

En même temps, pour faire respecter l'embargo décrété contre l'Irak (résolution 665 de l'ONU), Mulroney dépêcha trois navires de guerre dans le golfe, suivis, pour leur protection, d'un escadron de 18 chasseurs CF-18, sans compter 450 soldats qui assureraient la garde de la base aérienne située à Doha, au Qatar[35]. Malgré la grogne de l'armée de terre, frustrée de ne pas avoir l'occasion de montrer ses capacités, Mulroney s'en tint, jusqu'à la fin du conflit, à une participation navale et aérienne. Politicien-né, sensible à l'opinion publique peu désireuse « de voir au petit écran un grand nombre de jeunes Canadiens mourir[36] », harcelé par l'opposition libérale et néodémocrate qui le soupçonnait de faire montre d'un zèle aveugle à l'égard de l'Empire, à cause de son amitié avec Bush et des affinités conservatrices de leurs gouvernements respectifs, Mulroney joua sa partition avec fermeté quant à la participation de l'ONU et avec doigté

---

35. Pour la trame des événements, voir l'ouvrage bien documenté de Jocelyn COULON, *La dernière croisade*, Méridien, Montréal, 1992.
36. Vice-amiral Charles Thomas, cité par COULON, *ibid.*, p. 57.

quant à la prise en compte des pressions et des réalités du moment.

Durant toute la crise, qui dura d'août 1990 à février 1991, le Canada demeura maître de son engagement militaire : s'il n'envoya pas de troupes terrestres, c'est parce qu'elles auraient été sous commandement américain (comme le furent les armées des autres pays de la coalition), alors que les forces navales et aériennes restèrent sous le contrôle du commandement canadien. « Dans la guerre du Golfe… nous avons gardé le commandement complet de nos forces. C'est Ottawa qui décidait des réorientations concernant le rôle des avions et des navires[37]. »

Dans l'immédiat après-guerre, cette combinaison de diplomatie active et de force retenue permit au Canada de freiner les visées aventuristes des cercles ultraconservateurs américains – et même du successeur de Thatcher à Downing Street, John Major – qui voulaient en finir avec Saddam par une marche sur Bagdad et le renversement du dictateur. Cela constituait un débordement contraire à la résolution de l'ONU, équivalant à la poussée des troupes de MacArthur jusqu'au Yalou en 1950 ! La stricte application de la résolution du Conseil de sécurité telle qu'elle avait envisagée par le Canada et les pays d'Europe continentale assura la présence, au sein de la coalition des pays arabes et de la Russie, sans lesquels l'équilibre et la stabilité de la région auraient été mis en péril.

À cet égard, les propositions canadiennes de règlement de la crise s'inscrivirent dans un cadre politique global et réaliste et, par certains aspects, prémonitoire. En voici les quatre éléments[38] :

---

37. Un général non nommé, cité par Coulon, *ibid.*, p. 56-57.
38. *Ibid.*, p. 116. Les italiques sont de nous.

- Une garantie internationale protégeant d'une attaque toutes les frontières de la région du golfe : *garantie que piétina le tandem Bush-Blair en envahissant l'Irak en 2003 !*

- La mise en place d'un processus de règlement des différends entre l'Irak et le Koweït : *l'Irak reconnut le Koweït le 10 novembre 1994, après 33 ans de déni et de menaces.*

- Le départ d'Arabie saoudite de toutes les forces extérieures à la région et la création d'une force de maintien de la paix formée principalement d'États arabes : *eussent-ils suivi cette recommandation que les États-Unis n'auraient point donné à Ben Laden le prétexte de les attaquer le 11 septembre 2001 !*

- Un ferme engagement de principe pour la mise en place d'un processus visant à régler les autres questions du Moyen-Orient : *sous les auspices des grandes puissances, des négociations de paix entre Israéliens et Palestiniens devaient aboutir aux accords d'Oslo*[39].

Quitte à se répéter, l'idée que Pearson et ses successeurs ont eue de la guerre – et à laquelle adhéraient la plupart des Canadiens, les sondages en faisant foi – trouvait sa confirmation dans les nécessités du temps et s'inscrivait dans une filiation remontant à l'époque classique, c'est-à-dire à la façon dont on concevait la guerre depuis les traités de Westphalie* de 1648. La guerre est juste quand elle est *nécessaire*. Quand elle est nécessaire, elle doit être *limitée* aux objectifs qui lui sont assignés. Et si elle est limitée, c'est pour permettre qu'en temps de paix les rapports entre États, hier belligérants, soient marqués par le bon voisinage et la bonne mesure. Car les adversaires

---

39. *Ibid.*, p. 108-109.

d'hier peuvent devenir les alliés de demain. Vouloir anéantir l'ennemi dans une guerre totale, comme cela a souvent été le cas depuis les guerres de la Révolution et de l'Empire (1792-1815), est contraire au droit des gens et engendre un interminable cortège de guerres de représailles et de revanches qui se nourrissent de haine et s'amplifient selon une dynamique incontrôlée (par exemple, les terribles guerres franco-allemandes des XIXe et XXe siècles).

Pour revenir à la guerre du Golfe, l'attitude du Canada a été, d'emblée, on ne peut plus claire et nette : « Il est important que l'Irak ne soit pas entièrement détruit et qu'il puisse rester une puissance respectée dans cette région[40] », déclara Joe Clark, le ministre des Affaires extérieures. Pour le Canada, le renversement ou l'assassinat de Saddam Hussein par les forces de la coalition aurait contrevenu à la résolution des Nations unies et déstabilisé la région pour une longue période de temps[41].

Quand le Canada dit non au condominium impérial anglo-américain

La guerre d'Irak[42] de 2003 a mis en relief la situation dramatique du Canada quand celui-ci doit satisfaire les exigences de l'Empire. Après l'attaque terroriste du 11 septembre 2001, les États-Unis, à bon droit, réunirent

---

40. *Ibid.*, p. 117.
41. Douze ans plus tard, on assistera à l'exécution de ce scénario avec les effets prévisibles liés aux mêmes causes.
42. Malgré la chronologie, nous analyserons la guerre d'Irak à laquelle le Canada a refusé de participer avant la guerre d'Afghanistan (voir le dernier chapitre) dans laquelle le Canada est engagé jusqu'à 2011, engagement devenu plus intensif à cause, en partie, de son refus de participer à la guerre d'Irak.

une vaste coalition de pays qui, sous l'égide de l'ONU et lors d'une mission militaire confiée à l'OTAN, envahit l'Afghanistan dans le but d'en chasser les talibans du pouvoir et de pourchasser Ben Laden, ennemi juré de l'Occident. À l'instar des autres membres de l'OTAN, le Canada n'eut point d'états d'âme quant à son engagement aux côtés des États-Unis. D'ailleurs, le jour même de l'attentat, le gouvernement de Jean Chrétien avait placé l'espace aérien canadien à la disposition des États-Unis et, dans les jours et les semaines qui suivirent, le Canada, en bloc, montra sa solidarité avec les États-Unis. Vers la fin de l'année 2001, les talibans étaient en déroute (mais non éliminés), et Ben Laden en fuite, probablement caché dans la région montagneuse de la frontière avec le Pakistan.

L'année 2002 marqua un tournant dans le revirement diplomatique et militaire des États-Unis. Alors que ni l'Irak, ni l'Iran, ni la Corée du Nord n'avaient aucun lien avec Ben Laden et les talibans, le président George W. Bush plaça, dans le discours de l'Union, ces trois pays dans « l'axe du mal », c'est-à-dire des États « voyous », qui offriraient sanctuaires et équipements militaires aux terroristes ; en outre, le président ne laissait aucun choix aux membres des Nations unies : « Ou vous êtes avec nous ou vous êtes contre nous. »

Cette déclaration de guerre intempestive à l'encontre de pays qui n'avaient point provoqué les États-Unis, assortie d'une injonction à toutes les nations de la terre, sur un ton comminatoire et avec des accents messianiques, suscita un immense malaise dans le monde. À l'esprit de fraternité avec les États-Unis blessés[43] succéda

---

43. « Nous sommes tous Américains », avait titré *Le Monde*, à la suite du 11 septembre, journal peu suspect de sentiments pro-américains.

un sentiment de défiance à l'égard d'une morgue impériale qu'on croyait révolue, et à laquelle, du reste, ne nous avaient pas habitués les prédécesseurs de Bush (Bill Clinton, George H. Bush). Même Ronald Reagan, qui avait pourtant qualifié l'URSS d'« empire du mal », s'était bien gardé de tout martèlement de bottes et avait traité avec Moscou de façon classique. Et jamais, même aux heures les plus sombres de la guerre froide, un chef d'État, à quelque bord qu'il eût appartenu, ne s'était permis de commander, *urbi et orbi*, une adhésion sans appel à sa politique.

De facture révolutionnaire, le discours américain entendait bouleverser les rapports internationaux établis jusque-là : l'Empire s'arrogeait le droit du plus fort pour imposer un nouvel ordre international perturbé auparavant par l'effondrement de l'Union soviétique, la multipolarité qui en résultait et l'apparition de la menace terroriste. Discours asséné au grand dam des Nations unies revigorées par les succès des années 1990 : la guerre du Golfe, le conflit des Balkans, les négociations israélo-palestiniennes, et les alliés de l'Amérique (Europe, Canada) favorables à une plus grande concertation dans les affaires mondiales ! À l'exception décidément peu étonnante du Royaume-Uni, qui avait troqué, depuis Suez, son manteau impérial de suzerain contre celui plus étriqué de vassal.

Très vite, l'attention focalisa sur l'Irak de Saddam Hussein, suppôt supposé du terrorisme international, détenteur virtuel d'armes de destruction massive. Pourtant, cet Irak-là n'était plus, depuis sa défaite en 1991, qu'un État exsangue, aux capacités militaires réduites à leur plus simple expression, pressuré par un embargo quasi étouffant, régulièrement (et impunément) bombardé par l'aviation britannique et américaine. Et c'est cet Irak-là que la garde prétorienne de Washington se plaisait à dépeindre sous les traits d'une terrible menace à la sécurité de la toute-puissante Amérique ! Toutes les ressources médiatiques furent mises à contribution pour diaboliser Saddam et son régime, et vouer aux gémonies les États qui se permettaient de douter des affirmations anglo-américaines. On produisit des documents forgés de toutes pièces, fabriqua des preuves, irrecevables même devant un tribunal d'enfants, et présenta de faux témoins. Bref, on monta la plus formidable opération de falsification de la décennie : « une action militaire était maintenant [23 juillet 2002] inévitable. Bush voulait renverser Saddam, de force, action justifiée par la conjonction du terrorisme et des armes de destruction massive. Mais les renseignements et les faits étaient arrangés (*fixed*) en appui à cette politique[44] ».

Tout cela accompagné du cliquetis des armes (envoi de plusieurs milliers de soldats à la périphérie de l'Irak), du gonflement de torses (discours belliqueux, profusion de drapeaux) et de l'embrigadement des esprits ! Et bien que l'ONU, à la suite de la résolution 1441, reprit ses inspections sur le territoire irakien et ne trouva rien, que l'accusation de collusion Saddam-Ben Laden tourna court, l'escalade verbale[45], les pressions politiques et la mobilisation militaire atteignirent leur paroxysme à la fin de l'année 2002.

---

44. Le chef du Renseignement britannique, cité par Charlie SAVAGE dans *Takeover*, Little, Brown, NY, 2007, p. 293.

45. « At the same time [septembre 2002], administration officials escalated alarming rhetoric about the threat posed by Iraq, warning that the "smoking gun" for Iraq's alleged weapons programs and its alleged links to Al-Qaeda could come in the form of a "mushroom cloud". » SAVAGE, *ibid.*, p. 156.

Cette année-là fut, d'ailleurs, fertile en avertissements et en menaces. Le 7 avril 2002, Tony Blair parla de renversement par la force[46] de tout régime menaçant la sécurité internationale, et de menaces à l'adresse de l'Irak. Le 8 juillet, George W. Bush proclama sa volonté de changer le régime de Saddam Hussein par tous les moyens – l'année s'acheva par le déploiement de 150 000 militaires américains et d'un corps supplétif britannique dans la région du golfe Persique : expédie-t-on une telle armée à des milliers de kilomètres de ses bases pour y pêcher à la ligne ? Entretemps, les inspections de l'ONU en Irak se poursuivaient, et l'Irak obtempérait aux injonctions de l'organisation internationale, évitant ainsi de donner quelque prétexte que ce soit aux va-t-en-guerre.

Visiblement, le tandem Blair-Bush voulait la guerre, coûte que coûte. Encore aujourd'hui, analystes et commentateurs se perdent en conjectures sur les raisons précises de cette entreprise, car il était de plus en plus évident que le très consciencieux et expérimenté inspecteur onusien Hans Blix ne trouvait aucune arme susceptible de menacer les voisins immédiats de l'Irak, encore

---

46 La volonté de renverser des régimes étrangers contrevient au droit des gens et révèle une arrogance incompatible avec les règles et les usages de la diplomatie. Dans une *Lettre à Schleinitz du 10 octobre 1864*, Bismarck écrit ceci : « Lorsqu'il se produit des révolutions à l'étranger, nous n'avons pas à nous demander qui a raison ou qui a tort selon le droit napolitain, autrichien ou français... Le glaive de notre justice ne saurait s'étendre sur le monde entier. » Et le même Bismarck, pourtant peu suspect de tendresse à l'égard des États voisins, alliés ou adversaires, déclarait, au Reichtag, le 17 décembre 1868 : « Nous ne sommes pas responsables ni vous ni moi de la manière dont sont gouvernées d'autres nations... Veillons donc au maintien de bonnes relations avec les États étrangers, en nous abstenant de critiquer leurs gouvernements. »

moins le Royaume-Uni ou les États-Unis. Quant au complot Saddam-Ben Laden, il ne restait plus que le duo Bush-Cheney pour y croire. Le pétrole, alors ? Le lobby israélien ? Rage, vengeance par rapport au 11 septembre ? Répandre la démocratie au Moyen-Orient ? Mépris pour Saddam à l'égal de celui d'Anthony Eden pour Nasser ?

Toutes ces raisons pourraient être bonnes, en tout ou en partie, mais, si l'on considère la doctrine néoconservatrice qui inspirait la présidence Bush, on y décèle une volonté préméditée d'imposer l'hégémonie américaine dans le monde. Cette doctrine conçue une décennie avant les attentats du 11 septembre 2001 s'appuyait sur l'idée que la chute de l'Union soviétique en 1990 était due uniquement à la politique offensive des États-Unis dans les années 1980, et que cette victoire sans appel ouvrait la voie royale à l'expansion de l'imperium américain. Rien ni personne ne devait ni ne pouvait défier la superpuissance capable d'imposer sa vision des choses partout et en tout temps.

Mais cette vision péchait par strabisme, même considérée sous l'angle de la *politique de puissance* chère à Richelieu, à Pitt ou à Bismarck. Car ces hommes d'État de la diplomatie classique savaient qu'à vouloir trop entreprendre et trop dominer, on risquait de courir au désastre : « Nous devons accepter le fait que les États-Unis ne sont ni omnipotents ni omniscients, que nous ne sommes que 6 % de la population mondiale, que nous ne pouvons pas imposer notre volonté aux autres 94 %, que nous ne pouvons pas combattre toutes les injustices ou retourner toutes les situations, et qu'il ne peut y avoir une solution américaine à tous les problèmes du monde[47]. »

---

47. John Kennedy, discours prononcé à l'Université de Washington, à Seattle, le 16 novembre 1961.

Le secret de toute politique de puissance a toujours résidé dans l'établissement d'*un certain équilibre entre puissances* : « La sûreté des États consistant principalement en un contrepoids égal de puissance des uns et des autres, et la grandeur d'un prince attirant après soi la ruine de ses voisins, c'est sagesse de l'en empêcher[48]. »

Le gouvernement du président Bush agissait comme si la Russie de Pierre le Grand, de Staline et de Poutine était réduite à n'être plus qu'une haridelle éclopée tombée dans l'oubli, que la « vieille Europe[49] » était trop percluse de rhumatismes pour pouvoir danser dans le concert des nations, que la Chine post-Mao n'aspirait qu'à devenir une nation petite-bourgeoise, que les Arabes allaient s'agenouiller au premier coup de canon, bref, que le monde s'offrait aux États-Unis comme Cléopâtre à César.

Dans ce climat international tendu où chaque mot de travers déclenchait des répliques sans fin, où l'on usa et abusa des médias de façon éhontée, toute nuance était l'objet de dédain, toute question, rejetée du revers de la main. Il fallait suivre la ligne définie par Washington et relayée par Londres : *ou vous êtes avec nous ou vous êtes contre nous*. Le Canada misa sur l'ONU et joua de prudence, tant pour ménager ses alliés et amis anglo-américains (l'Empire toujours recommencé) que pour éviter de trop se distancer de la « vieille Europe », plus conforme à ses yeux aux règles de l'ONU. Il s'en tint donc à sa ligne de conduite habituelle de recours à l'ONU pour donner le plus de temps possible aux inspecteurs de Blix ;

---

48. Philippe de Béthune, proche de Richelieu, cité par Étienne THUYAU, dans *Raison d'État et pensée politique à l'époque de Richelieu*, A. Colin, Paris, 1966, p. 309.

49. Expression méprisante de Donald Rumsfeld qualifiant l'Allemagne et la France.

il s'activa en ce sens dans les coulisses, mais il dut interpréter sa partition tout seul, à l'écart des deux blocs antagonistes, à savoir l'axe Washington-Londres et l'axe Paris-Berlin-Moscou.

Le 17 mars 2003, de bon matin[50], trois jours avant l'invasion de l'Irak, le ministère des Affaires extérieures du Canada reçut du gouvernement britannique un message comportant les quatre questions suivantes :

— Le Canada accordera-t-il son soutien politique à une action militaire contre l'Irak ?
— Quelle sera la contribution militaire (*military capacities*) du Canada à cette action ?
— Le Canada est-il prêt à rendre publique sa position ?
— Quel effort le Canada apportera-t-il à l'assistance humanitaire et à la reconstruction de l'Irak ?

Enfin, les Britanniques exigeaient une réponse le jour même, avant midi. Après avoir consulté, une dernière fois, son ambassadeur à l'ONU, Paul Heinbecker, qui réitéra sa conviction qu'il n'y aurait pas de résolution du Conseil de sécurité autorisant l'usage de la force en Irak, le premier ministre Jean Chrétien arrêta sa décision – en réalité, une décision mûrie de longs mois durant, aboutissement de discussions et de consultations entre le premier ministre, son équipe immédiate, le ministre des Affaires extérieures Bill Graham, ainsi que les ambassadeurs du Canada et des dirigeants étrangers. Toujours est-il que le quasi-ultimatum[51] britannique manquait

---

50. Lire, à ce sujet, le prologue des mémoires d'Eddie GOLDENBERG, *The Way it Works inside Ottawa*, McClelland & Stewart Ltd., Toronto, 2006.
51. Otto von BISMARCK, le 6 février 1888 : « Une grande puissance qui… cherche à exercer une pression sur la politique des autres États, à

aux bons usages diplomatiques, surtout entre de supposés amis et alliés, et exhalait des relents d'Empire.

Passant outre l'exigence horaire de Londres[52], Jean Chrétien s'adressa au Parlement à 14 h 15, en réponse à une question du chef de l'opposition officielle, Stephen Harper : « Monsieur le Président, je voudrais annoncer la position du gouvernement du Canada. Nous croyons que l'Irak doit se conformer pleinement aux résolutions du Conseil de sécurité de l'ONU. Nous avons toujours et clairement établi que le Canada requerrait l'approbation du Conseil de sécurité si nous devions participer à quelque action militaire. Au cours des dernières semaines, le Conseil de sécurité a été incapable de s'entendre sur une résolution autorisant une telle action. Le Canada a travaillé très fort pour trouver un compromis susceptible de combler le fossé au Conseil de sécurité. Malheureusement, nos efforts n'ont pas été couronnés de succès. Si une action militaire est lancée sans l'aval du Conseil de sécurité, le Canada n'y participera pas. » La déclaration du premier ministre fut suivie d'une longue ovation des députés libéraux, néodémocrates et bloquistes : seuls les alliancistes (conservateurs) de Stephen Harper restèrent assis, silencieux, en colère.

On ne sait pas si, à la suite de l'annonce de la décision canadienne, le premier ministre Tony Blair écrivit *miserable* en marge d'une note diplomatique, comme le fit

───────────────

l'influencer ou à la diriger, périclitera... Elle fait alors de la politique de pouvoir et non de la politique d'intérêt... » *Discours*, VIII, p. 5.

52. Tony Blair devait savoir que, dans un régime de type britannique, le premier ministre s'adresse d'abord au Parlement avant de communiquer quoi que ce soit aux gouvernements étrangers et aux médias. Mais le premier ministre travailliste se comporta, durant les mois précédant la guerre d'Irak, comme le conservateur et impérialiste Chamberlain de la guerre des Boers, menton relevé, sentencieux et ton comminatoire.

Anthony Eden à la suite du refus de Pearson de le soutenir durant la crise de Suez. Mais trêve de commentaires : trois jours plus tard, les troupes anglo-américaines envahirent l'Irak dont la « plus que terrible et menaçante armée » se volatilisa en moins d'un mois. Bagdad occupé, Saddam renversé, l'Empire triomphait. Juchés sur le pavois de la victoire, ses hérauts et ses sous-fifres distillèrent leur mépris à l'égard de ceux qui eurent l'outrecuidance de leur dire non. C'était le temps où la secrétaire d'État Rice, dédaigneuse, proclama le dogme : « Il faut pardonner à la Russie, ignorer l'Allemagne et punir la France. » Ainsi sont jugées les nations au tribunal des dieux !

Quant au Canada, il eut droit à l'admonestation de « l'ambassadeur américain improvisé proconsul[53] », Paul Cellucci, qui affirma, le 25 mars 2003, devant le parterre de l'Economic Club de Toronto, que les États-Unis étaient « déçus et bouleversés » par le refus du Canada de faire partie de la coalition en Irak. Le Canada serait-il puni pour avoir été le mauvais élève du monde anglo-saxon ? « Il n'est pas de notre intérêt économique de le faire, mais, ajouta Cellucci, nous devons attendre et voir si cette affaire aura des ramifications. » Réprimande suivie d'un avertissement voilé : la réaction américaine était quelque peu prévisible, l'Empire n'aimait pas la dissidence dans sa cour arrière.

Moins prévisible et très peu parlementaire fut la réaction du chef de l'opposition, Stephen Harper, qui réveilla les vieux démons de la division au pays. Dans une lettre publiée par le *Wall Street Journal*, en mars 2003, il critiqua la décision du premier ministre Chrétien de ne pas participer à la guerre en Irak, la qualifiant de déloyauté

---

53. Lloyd Axworthy, dans « Say no to missile defence », article publié dans *The Globe and Mail*, le 29 avril 2003.

perfide à l'égard de la Grande-Bretagne et des États-Unis : « C'est une faute grave. Pour la première fois dans l'histoire, le gouvernement canadien ne s'est pas tenu aux côtés de ses principaux alliés, britanniques et américains, au moment où ils en avaient besoin. » Harper poussa plus loin l'indélicatesse, le mois suivant, en affirmant au réseau américain Fox News : « Hors du Québec, je crois très fermement que la majorité silencieuse des Canadiens est fortement favorable à la participation du Canada dans la "coalition of the willing"[54]. »

Étaler, dans un pays étranger, les dissensions au sein du Parlement et les divisions dans l'opinion publique du pays, notamment en faisant porter – de façon erronée du reste – sur le seul Québec, province non anglo-saxonne (donc n'appartenant pas à la famille), l'odieux de la décision du gouvernement canadien, s'apparente davantage à une combine de politicien qu'à un réflexe d'homme d'État. D'autant plus que les faits avancés péchaient par une grossière inexactitude. Seulement 10 % des Canadiens auraient appuyé une attaque unilatérale contre l'Irak, c'est-à-dire sans l'aval du Conseil de sécurité (sondage Donald Mackenzie[55]) ; 46 % des Canadiens l'auraient fait seulement si elle avait été sanctionnée par l'ONU (sondage Léger marketing), 49 % des Québécois étaient opposés à toute forme d'action militaire, pour 35 % en Ontario, 34 % dans les provinces de l'Atlantique, 28 % en

---

54. Les sondages d'opinion donnaient un autre son de cloche comme cela est indiqué plus loin. D'ailleurs, un an plus tard, quand les Anglo-Américains se furent enlisés dans une occupation sans fin et sans gloire en Irak, le même Harper ravala son zèle impérial et promit, s'il devenait premier ministre, de ne pas participer à la coalition. Toutefois, il se rattrapa en Afghanistan.

55. Toutes les données issues de sondages sont extraites de cyberjournal de Radio-Canada international du 11 février 2003.

Colombie-Britannique et 27 % dans les Prairies. En vérité, le Canada, État et opinion francophone et anglophone, pays légal et pays réel, s'accordait sur un point essentiel : seule une action ayant reçu l'approbation de l'ONU aurait été acceptée. En ce sens, la décision de Jean Chrétien était en phase avec l'opinion des Canadiens, et ceux-ci comme celui-là étaient les héritiers conscients et consentants de l'orientation multilatéraliste amorcée par Lester Pearson.

Étrange, dès lors, de lire dans *Options politiques* de mai 2003[56], sous la plume de L. Ian MacDonald, d'habitude mieux inspiré : « En retirant son appui à George Bush, au motif qu'il n'a pu obtenir l'autorisation du Conseil de sécurité de l'ONU, d'utiliser "tous les moyens nécessaires" pour désarmer Saddam Hussein, Jean Chrétien a fait une entorse sérieuse à la politique canadienne, privilégiant le multilatéralisme au détriment de nos relations bilatérales avec les États-Unis. » Or, jamais, depuis 1945, un gouvernement canadien n'a dévié de cette ligne de conduite fondée sur le multilatéralisme. Certes, au Kosovo[57], le gouvernement de Jean Chrétien a participé, *sous l'égide de l'OTAN*, à l'effort de guerre visant à mettre fin au nettoyage ethnique, et l'OTAN, n'est-ce pas du multilatéralisme dans toute sa splendeur ?

En Irak, non seulement le tandem Bush-Blair n'a pas réussi à obtenir l'aval de l'ONU, mais il n'a pas non plus reçu l'appui de ses partenaires de l'OTAN, qui lui ont signifié, dès la première tentative, qu'une action contre l'Irak n'était aucunement justifiée. Pire : Ian MacDonald

---

56. www.irpp.org/po/archive/may03/macdonald.pdf.
57. MacDonald insinue dans son article que, puisque le Canada s'est engagé au Kosovo sans l'aval de l'ONU, il a donc dérogé au multilatéralisme. L'argument est spécieux puisque l'OTAN est une forme évidente de multilatéralisme.

cite John Nobles, ancien haut diplomate canadien pour qui « le Canada ne s'en est jamais remis aux Nations unies pour assurer sa sécurité de fait ». En quoi le régime de Saddam Hussein était-il une menace à *la sécurité de fait* du Canada ? Par ses missiles Scud dont la portée était de 300 kilomètres ? En guise de rappel, le Canada est situé à des milliers de kilomètres de l'Irak, les armes de destruction massive étaient introuvables en mai 2003, Saddam Hussein n'a jamais commis d'attentat contre le Canada, son armée n'aurait pas tenu deux semaines face à une division canadienne et l'on veut nous faire croire que *la sécurité de fait* du Canada était en péril ?

Pis encore[58] : « L'Américain David Jones, ancien haut diplomate au Canada, conclut, dans une affirmation lourde de sous-entendus, que c'est à Ottawa que Washington attend maintenant un changement de régime…[59] Si le Canada n'engage plus ses forces qu'avec l'aval de l'ONU, écrit David Jones, nos deux armées devront peut-être réévaluer l'intérêt d'affecter à d'importantes positions opérationnelles des effectifs militaires étrangers. » Est-ce à dire que les unités canadiennes, déjà auxiliaires aux yeux du Pentagone, ne seraient plus employées qu'à des missions subalternes de gardiennage et d'entretien de pelouses ? Quant à Tom d'Aquino, du Conseil canadien de chefs d'entreprise, il nous prévenait qu'« il en va de notre intérêt économique d'améliorer nos relations avec nos voisins du Sud, mais aussi de renforcer notre souveraineté, dans la mesure où notre influence dans le monde découle de la perception internationale de notre influence auprès des États-Unis[60] ». Ainsi, Tom d'Aquino nous invite à boire le calice jusqu'à la lie !

---

58. Nous citons encore l'article de Ian MacDonald.
59. Dieu ! À quand la cavalerie américaine aux portes d'Ottawa ?
60. MacDonald, *op. cit.*

Ce qui est ahurissant dans tout ce débat, c'est que les partisans d'une action américaine en Irak aient tenu pour acquis – et *a priori* – que les États-Unis avaient raison, en dépit de l'évidence, à savoir que les nations opposées à cette action étaient atteintes d'une malformation politique congénitale. Décidément, l'Empire n'était pas mort, et ses zélotes versaient dans un manichéisme tribal. Qui plus est, la plupart des pays, engagés de près ou de loin dans les affaires de la région, ont prévenu les États-Unis, *avant leur intervention*, que ceux-ci faisaient fausse route et que les conséquences seraient contraires à leurs prévisions. Ces nations : l'Égypte, l'Arabie saoudite, l'Inde, l'Allemagne, la France et la Russie, entre autres, n'avaient aucun intérêt, loin de là, à un enlisement de la superpuissance en Irak, encore moins à un surgissement de forces incontrôlables dans la région (al-Qaida, extrémistes chiites et sunnites, Iran).

Ce qui prouve que ce n'est pas l'échec américain qui justifie le refus du Canada de participer à cette aventure : conséquente depuis un demi-siècle, la politique du Canada en Irak ne pouvait, sans se dédire et se renier, courir le risque de perdre ses soldats, de grever son budget et de se discréditer sur la scène internationale – notamment auprès du monde arabo-musulman – rien que pour plaire à l'Empire. Eût-elle réussi, au demeurant, à pacifier l'Irak, la coalition anglo-américaine aurait été, très vite, enfermée dans le dilemme suivant : soit les troupes occidentales quittaient le pays, laissant celui-ci sans institutions, livré aux antagonismes ethniques (Kurdes/Arabes), confessionnels (chiites/sunnites) et géographiques (Kurdes sunnites du Nord et Arabes chiites du Sud, assis sur du pétrole, face aux Arabes sunnites du centre, minoritaires mais nostalgiques d'un pouvoir exclusif), avec pour seule satisfaction d'avoir renversé un dictateur dont les copies prolifèrent comme du chiendent sur toute la planète; soit l'intervention se muait en occupation, avec son cortège de résistances, de répressions et de haines conjuguées, bref, une situation typiquement coloniale dont nul n'en sortirait intact, encore moins grandi. De quelque façon que l'on aborde cette question, on demeure perplexe devant de telles défaillances de la part des Britanniques, pourtant habitués aux pièges et aux mirages des colonies, et de la part des Américains, échaudés par Cuba et le Vietnam.

Enfin, l'argument massue de la culpabilisation a été asséné par l'indémontable Paul Cellucci, juché sur ses certitudes et sûr de son propos : « Si les rôles avaient été inversés, les Américains auraient appuyé le Canada sans aucun doute. Il n'existe aucune menace à la sécurité du Canada à laquelle les Américains n'auraient été prêts et déterminés à répondre, et capables de le faire[61]. » L'ambassadeur a-t-il oublié que, dix-huit mois plus tôt, le Canada a mis à la disposition des États-Unis toutes ses ressources civiles et aéroportuaires, et que, à la suite d'une résolution de l'ONU et à l'intérieur de l'OTAN, il a dépêché ses troupes en Afghanistan, sous commandement américain ? Et le Canada l'a fait, non seulement par solidarité, mais parce que c'était nécessaire : depuis la paix de Westphalie en 1648, historiens, penseurs et hommes d'État se sont accordés sur le concept de *guerre juste*, juste parce qu'elle est nécessaire, c'est-à-dire nécessitée par une agression (Pearl Harbour en 1941 ou les attentats du 11 septembre 2001) ou par la montée en puissance démesurée d'un État conquérant et glouton (prise de la Pologne en 1939 ou du Koweït en 1990-1991)... On ne fait pas la guerre par plaisir ou pour faire plaisir ;

---

61. Discours du 25 mars 2003.

aucun sentiment d'amitié, quelque profond qu'il soit, ne saurait justifier l'envoi de soldats sur les champs de bataille : seuls des motifs d'intérêt, d'exigence d'équilibre international et de frein à des ambitions de conquête et à des intentions de génocide, justifient l'engagement dans une guerre et, pour un pays comme le Canada, cette participation ne saurait être admissible que dans un cadre multilatéral (ONU, OTAN).

Les commentaires de MacDonald, de Nobles, de d'Aquino et de Cellucci ont été prononcés en mai 2003 quand le triomphe des armes américaines en Irak était incontestable : enivrés des alcools de la victoire, ils entendaient que seuls les réfractaires à l'Empire eussent la gueule de bois. Mais que dire des reproches faits au Canada alors que l'enlisement en Irak s'accentuait, que les raisons justificatives de l'intervention (armes de destruction massive, complot terroriste) n'étaient plus que de vieilles lunes et que les rats à Washington commençaient à quitter le navire ?

En novembre 2004, deux commentateurs associés à l'Institut C. D. Howe signaient un article dans *The Globe and Mail* intitulé : « Pourquoi Ottawa doit maintenant rentrer dans les bonnes grâces de Washington[62] ? » Comme si la réélection de Bush était censée, par miracle, légitimer une guerre infondée et conforter l'empereur dans les habits de César ! Mais la palme de la flagornerie appartient à l'ancien ambassadeur canadien aux États-Unis, Allan Gotlieb, qui déclara, au cours d'une conférence, que le Canada était une puissance déclinante dans le monde[63], et que nous (Canadiens) devions apprendre à accepter la réalité de « la puissance américaine transcendante » (sic).

---

62. Cette citation et celles qui suivent sont tirées de *Holding the Bully's Coat*, de Linda McQuaig, DoubleDay, Canada, 2007, p. 53-55.

63. Qu'a-t-il fait pour redresser la situation ?

Les Canadiens, ajoutait-il en substance, devaient choisir l'approche *réaliste*, c'est-à-dire accepter la puissance des États-Unis, même quand celle-ci violait le droit international. Gotlieb pressait aussi le Canada de « se libérer de la croyance que l'ONU est le fondement sacré de toute politique étrangère ». Et plus loin : « L'ONU n'est pas la seule source de multilatéralisme ni la seule autorité capable de légitimer une intervention armée[64]. » Enfin, pour Gotlieb (rappelons qu'il détient le titre d'ambassadeur du Canada), nous devons éviter d'adopter des positions qui feraient « contrepoids à la puissance américaine ».

Ainsi, le Canada devrait simplement accepter la puissance américaine comme « le trait dominant de l'ordre international contemporain », en clair : abdiquer sa souveraineté comme au temps de l'Empire. Et pourquoi le Canada ne serait-il plus que la Sibérie des États-Unis, vaste domaine seigneurial pourvoyeur de ressources naturelles ? L'ambassadeur américain à Ottawa, Paul Cellucci, se comportait comme un haut-commissaire aux colonies ; voilà que l'ex-ambassadeur canadien à Washington se plaisait à rêver d'une « république impériale » située entre le Rio Grande et l'Arctique !

Si le commentaire de MacDonald est associé au triomphe militaire en Irak et celui de Gotlieb à la réélection de Bush, le compte rendu des mémoires de Paul Cellucci par Rex Murphy ne saurait s'expliquer que par un zèle passionné pour l'Empire. Publié en août 2005, en même temps que l'ouragan *Katrina*[65] révélait l'incurie

---

64. L'OTAN avait, avant l'ONU, refusé d'accorder l'*imprimatur* à l'action anglo-américaine. Dès lors, quelle autorité multilatérale ?

65. Incapable de faire face à une catastrophe naturelle dans son propre pays, comment George Bush pouvait-il gérer une guerre à dix mille kilomètres de distance ? À mesure que s'élevait le nombre de victimes

de la présidence Bush et que l'enlisement en Irak exposait, en pleine lumière, son tragique amateurisme, le commentaire de Rex Murphy exsude la mauvaise foi et la hargne. « Pourquoi n'étions-nous pas impliqués en Irak ? Était-ce parce que la guerre était injuste ? Ou était-ce parce que le gouvernement Chrétien ne pouvait pas politiquement envisager une action aux côtés des Américains ? Je dirais que c'est la seconde qui a été la plus forte motivation. Assortissez ce choix de quelques commentaires anti-Bush, et vous aurez touché le point focal de la politique canadienne[66]. Notre position, dit-il, n'est que de l'antiaméricanisme primaire, rien d'autre que du *posturing* ». D'ailleurs, sans craindre l'inconséquence de ses propos, il nous assène que nous en payons le prix, faisant référence à la querelle sur le bois-d'œuvre avec les États-Unis. Comment un journaliste sérieux peut-il oublier que l'affaire du bois d'œuvre a précédé la guerre d'Irak, que l'organisme régulateur de l'ALENA a donné raison au Canada (qui a perdu, rappelons-le, des milliers d'emplois à cause d'une imposition brutale et protectionniste de droits de douane par les États-Unis) et que, de toute façon, le Royaume-Uni, coartisan de la guerre en Irak, a subi le même préjudice douanier que le Canada, au chapitre de l'acier ? L'Empire n'a pas d'amis, il n'a que des intérêts à défendre et des ambitions à assouvir. Soit ! Passe encore que ses zélotes se disputent l'honneur de le défendre et de le promouvoir comme ces courtisans à Versailles se bousculaient pour servir le pot à Louis XIV, mais qu'ils aient au moins la décence de reconnaître aux autres États le droit de défendre leurs intérêts sans tomber dans le mépris !

---

de *Katrina* et de soldats tués en Irak, Bush plongeait dans les sondages pour ne jamais se relever.

66. McQuaig, *op. cit.*, p. 48, 49, 50.

La décision de Jean Chrétien de ne pas participer à la guerre d'Irak suivie de son départ de la vie politique[67] clôt le chapitre pearsonnien de l'approche canadienne de la guerre. Marquée par l'obsession impériale jusqu'à la fin de la Deuxième Guerre mondiale (1945), cette approche a subordonné, depuis, la guerre aux exigences de la souveraineté nationale et l'a liée au multilatéralisme. Pendant un demi-siècle, le Canada n'a plus fait la guerre par atavisme anglo-saxon, il l'inscrivit plutôt dans un processus inspiré du droit des gens et des instances internationales. Il rejette toute forme de manichéisme, se garde de la politique des blocs retranchés dans leurs certitudes et se méfie de la méthode de « la canonnière à tout prix ». Qu'elle n'ait pas révolutionné l'ordre international est dû aux appétits démesurés des puissances dans une atmosphère de guerre froide (Franco-Britanniques à Suez, Américains au Vietnam, Soviétiques en Afghanistan) – qui mesurèrent d'ailleurs à leurs dépens les limites de leurs actions respectives – ainsi qu'aux antagonismes incontrôlables qui remontent loin dans le passé (conflits israélo-palestinien, indo-pakistanais, ethniques en Afrique). Toutefois, cette approche a produit d'appréciables accomplissements : succès partiel en Corée, succès à Suez, au Kosovo et dans le golfe. Ceux-ci laissent espérer que l'idée de sécurité collective est bien vivante et appelée à un meilleur avenir que dans l'entre-deux-guerres.

En détachant la perception canadienne de la guerre de l'impérialisme et en la soumettant aux impératifs de la souveraineté et du multilatéralisme, l'action de Pearson

---

67. Départ qui fera basculer l'engagement militaire canadien en Afghanistan dans un sens favorable aux demandes de l'état-major canadien et du commandement anglo-américain (voir le chapitre suivant).

et de ses successeurs a engendré une adhésion plus grande et mieux comprise des Canadiens aux nécessités de la guerre. Les Anglo-Canadiens ne se mettent plus automatiquement au garde-à-vous au moindre appel de l'Empire, et les Québécois ne rejettent plus automatiquement toute idée de participation à la guerre : les composantes nationales de l'opinion s'accordent pour faire encadrer les interventions militaires par l'ONU ou par l'OTAN. Ainsi, Pearson aura réussi là où Borden et King avaient échoué. Jean Chrétien aussi puisque, en dépit d'une opposition parlementaire et médiatique dynamique, il a tenu tête à l'Empire bicéphale[68] et gagné la confiance des Canadiens. Abstraction faite d'une carrière politique longue et controversée, ce *non à l'Empire* sera, pour la postérité, l'honneur de Jean Chrétien.

---

68. À Suez, Pearson avait l'appui de Washington (ce qui n'était pas rien) face aux Franco-Britanniques.

CHAPITRE III

Retour à l'Empire
en passant par Kandahar

« Quand l'histoire serait inutile aux autres hommes, il faudrait la faire lire aux princes. Il n'y a pas de meilleur moyen de leur découvrir ce que peuvent les passions et les intérêts, les temps et les conjonctures, les bons et les mauvais conseils. »

Bossuet, *Discours sur l'histoire universelle pour l'éducation du Grand Dauphin*, 1681

« Avec des baïonnettes, Sire, on peut tout faire sauf à s'asseoir dessus. »

Talleyrand à Napoléon

« Il y a quelqu'un qui est plus intelligent que Voltaire, et plus puissant que Napoléon, c'est tout le monde. »

Talleyrand, *Mémoires*

« Better they do it tolerably with their own hands than you do it perfectly with your own. For it is their war and their country, and your time here is limited. »

Lawrence d'Arabie, *The Arab Bulletin*, 20 août 1917

D EPUIS L'AUTOMNE 2001, le Canada est en guerre en Afghanistan. C'est le plus long conflit auquel il ait participé dans son histoire, et le plus meurtrier depuis la guerre de Corée (1950-1953). Et comme son engagement vaut jusqu'à 2011, il est à craindre que le bilan ne s'alourdisse, non seulement en nombre de soldats tués et blessés, mais aussi en discrédit auprès du monde musulman et, au sein du pays, en querelles et divisions. Perçue, au départ, comme une simple expédition punitive contre le régime des talibans, protecteur de Ben Laden et de ses séides, l'intervention militaire, approuvée par l'ONU et dirigée par l'OTAN, a pris des proportions telles que l'on s'est égaré de l'objectif initial, et qu'elle ressemble, de plus en plus, à un enlisement. Forces périphériques d'appoint au début de la guerre, les unités canadiennes se sont transformées – par une incroyable succession de malentendus entre politiques et militaires, de fautes tactiques causées par l'impéritie du commandement anglo-américain davantage préoccupé par l'Irak[1] que par l'Afghanistan, enfin des attraits qu'exercent encore les sirènes impériales sur les généraux et les diplomates d'Ottawa – en une force combattante au cœur même d'une zone aux prises avec les assauts et les attentats des talibans.

Sept ans plus tard, on ne parle plus de victoire décisive[2], ni de capture de Ben Laden, encore moins de démocratie policée, sauf pour qui veut bien y croire. Aujourd'hui, la question est : qui, du taliban ou du soldat de l'OTAN, tiendra le plus longtemps sur le terrain ? Pour n'importe quel apprenti historien, la réponse est évidente lorsqu'il scrute le passé de ce pays. L'Afghanistan, rugueux et inhospitalier, au relief élevé composé surtout de

---

1. Où il commit, au demeurant, les mêmes erreurs liées à la nature même des guerres livrées par des armées traditionnelles, supérieures en équipements et en armements, contre des résistants indifférents à la mort, confortés dans leur bon droit puisqu'ils étaient victimes d'une occupation étrangère, et connaissant, dans le détail, les lieux et le climat.

2. Selon un officier supérieur des forces britanniques en Afghanistan, il ne faut plus espérer de victoire militaire dans ce pays, et il vaudrait mieux négocier avec les talibans (journaux télévisés de Radio-Canada et de CBC, 5 août 2008).

montagnes et de hauts plateaux, aux climats contrastés (méditerranéen, moussons, continental), a paradoxalement suscité les convoitises des puissances, situé qu'il est entre le monde arabo-persique et le monde indo-chinois, mille fois envahi, jamais réellement conquis, sa population, aux multiples tribus et facettes, étant obstinément hérissée contre l'étranger, d'où qu'il vienne. Un pays sans façade maritime, mais qui, dans l'imaginaire d'un Occidental parti à la découverte de nouvelles contrées, aurait pu s'apparenter à ces ports exotiques où l'on échoue et où l'on meurt !

Déjà, au IVᵉ siècle av. J.-C., la marche épique d'Alexandre le Grand vers l'Indus éprouva ses pires difficultés en Afghanistan. « La réputation d'Alexandre comme génie militaire, quoique amplement méritée, ne saurait masquer les erreurs d'appréciation qu'il commit à Bactriane (le nom grec ancien d'Afghanistan)... L'Hydre mythique donne une image précise du caractère de la guerre en Afghanistan au cours des ans. La capacité de l'ennemi à se régénérer démoralise les conquérants les plus aguerris. Comme le serpent à sept têtes de l'Hydre de Lerne, ce type de guerre inflige de lourdes pertes à tous ses protagonistes, et ses effets sont autant psychologiques que physiques. Les écrasantes victoires sur les armées de Darius... avaient habitué Alexandre et ses vétérans à de confortables assurances : quand ils combattaient l'ennemi, ils le vainquaient, de telle sorte que l'ennemi défait était défait pour toujours. Cette arrogance de la toute-puissance... perdit de sa superbe en Afghanistan. Les hommes de ce pays n'étaient pas impressionnés par le passé victorieux d'Alexandre, ne tenaient pas compte de la force et de la sophistication des conquérants et respectaient encore moins les trêves et les traités entre les belligérants. Ils disparaissaient comme des bandits quand ils étaient devant une force supérieure, puis attaquaient dès que la situation leur était favorable. Vous ne pourriez jamais savoir si vous étiez en train de gagner ou pas[3]. »

Au XIXe siècle, l'Angleterre, au faîte de sa gloire impériale, disputa à la Russie tsariste l'emprise sur ce pays dont les voies (Ah, la légendaire passe de Khyber, à l'ouest de Peshawar, ville frontière avec le Pendjab pakistanais, baigné par l'Indus!) conduisaient en Chine, via le Sin-Kiang, l'ancienne route de la soie. En moins d'un siècle, il y eut trois guerres entre les Anglais et les Afghans, avec leur succession de batailles féroces et de non moins féroces résistances et répressions, et qui s'achevèrent, en 1921, par la reconnaissance de l'indépendance afghane, probablement le premier pays à sortir du giron britannique. Retenons, pour le propos de ce chapitre, *le rejet total et incessant de toute présence militaire étrangère*, illustré, en janvier 1842, par l'anéantissement de la garnison anglaise repliée à Kaboul, forte de 3 000 hommes, à l'exception d'un *seul* rescapé qui put annoncer le désastre au premier poste anglais rencontré.

Dans *Churchill and War*[4], Geoffrey Best rapporte ainsi les faits et gestes du jeune officier Churchill en Afghanistan: « Le problème, toutefois, était qu'ils [les Afghans] étaient d'excellents guerriers, talentueux et courageux. "À la férocité des Zoulous s'ajoutaient le savoir-faire des Peaux-Rouges et l'habileté au tir des Boers." Étant donné aussi leurs croyances religieuses et leur habitat montagneux, ils étaient virtuellement inexpugnables… dès lors, la question était de savoir si de telles campagnes militaires (contre les Afghans) valaient la peine d'être lancées… Churchill: "La force des

---

3. Frank L. HOLT, *Into the Land of Bones*, cité par Michael SCHEUER, dans *Marching toward Hell*, Free Press, NY, 2008, p. 102.

4. Hambledon and London, London and New York, 2005, p. 13-14.

circonstances sur la frontière indienne[5] est au-delà de tout contrôle par l'homme. Nous ne pouvons pas reculer et nous devons continuer. Financièrement, c'est ruineux. Moralement, c'est mauvais. Militairement, la question est ouverte, et, politiquement, c'est une faute". »

Moins d'un siècle plus tard, en 1980, les Soviétiques envahirent l'Afghanistan, leurs généraux ayant omis de lire les récits des déboires anglais dans cette région. Malgré l'intervention massive de 250 000 soldats, peu sensibles en outre au sort des populations qu'ils bombardaient sans discrimination, et malgré la présence à Kaboul d'un régime communiste client, policier et répressif, les Soviétiques furent acculés à un retrait humiliant en 1989, après avoir subi d'énormes pertes humaines (15 000 tués et des dizaines de milliers de blessés) et matérielles (ruine de l'État communiste).

Si l'hiver russe enveloppe et engloutit l'envahisseur, le relief afghan piège celui-ci, l'use et l'épuise. Dans ces pays-là, on ne fait pas la guerre comme ailleurs, contre des hommes et du matériel, forcément variables selon l'état du moment, les capacités des chefs et le moral de l'arrière. En ces contrées-là, on affronte des terrains insaisissables, des climats excessifs, toujours contraires à l'action du conquérant, on lutte contre des adversaires, hommes et nature confondus, qui sortent des catégories de la guerre telles qu'elles sont apprises dans les écoles militaires. Il faut être Russe ou se faire Russe pour combattre et vaincre en Russie, comme il faut être Afghan ou se faire Afghan pour combattre et vaincre en Afghanistan. On ne domine pas longtemps ni en totalité des pays qui ont brisé des conquérants et mis à bas des empires.

---

5. Actuellement, la région frontalière entre l'Afghanistan et le Pakistan, celui-ci faisant alors partie de l'Union indienne : c'est dans cette région que sont engagées les troupes canadiennes depuis 2005.

Après les tragiques échecs des empires britannique et soviétique, comment riposterait l'Amérique de George Bush – et, avec elle, l'OTAN, dont le Canada – aux attentats du 11 septembre 2001 ? Il allait de soi que l'Afghanistan des talibans, sanctuaire affiché de Ben Laden et de ses sectateurs, serait la cible privilégiée des représailles de Washington. Simples représailles ? Expédition punitive ? Invasion à grande échelle ? Refonte de l'État afghan et reconstruction du pays ?

Les deux premières options avaient l'avantage d'être limitées dans l'espace et dans le temps, et de répondre à la volonté des Américains de porter un coup décisif aux terroristes et à l'État taliban, tout en assouvissant un désir compréhensible de vengeance et de réaffirmation de la puissance des États-Unis, malmenée par la peu coûteuse (pour Ben Laden) et artisanale attaque-suicide. Les deux dernières options aboutiraient à l'installation d'un État client dans une région charnière de l'Orient, carrefour des sources du pétrole et des routes stratégiques, au prix toutefois de l'occupation du territoire afghan sur une période de temps imprévisible et la résurgence de vieilles affres des empires déchus : occupation-résistance-répression-enlisement... On n'opta pour rien de précis, on mêla tout et, une fois le conflit ouvert, on lui trouva des causes et des objectifs qui allaient de la lutte contre le terrorisme à la lutte pour la liberté du monde en passant par l'instauration d'une démocratie libérale dans un pays caractérisé par un tribalisme médiéval : tout et n'importe quoi, plus proche du baroque décadent que de la raison d'État. Après ce que l'on sait de l'Afghanistan, vouloir greffer la démocratie[6] dans un pays privé d'État central

---

6. Du magazine *Time* du 27 janvier 2003, ce passage : «Comme Bush, Wolfowitz croit que les États-Unis doivent utiliser la force pour promouvoir la liberté et renverser les tyrans.»

et d'institutions politiques fait penser à ces missionnaires qui essayaient d'inculquer les mystères de la Sainte Trinité et de l'Eucharistie à des populations préoccupées par le manger et le boire.

Ce qui est étonnant, c'est que les Britanniques n'aient pas conseillé la prudence à leurs alliés, échaudés qu'ils étaient par leur aventure impériale désastreuse. Étonnant aussi que Washington n'ait rien retenu de l'échec soviétique en Afghanistan auquel ils avaient grandement contribué en soutenant la résistance des moudjahidins : les Américains devaient savoir à qui ils avaient affaire. Mais depuis les années 1990 et la chute du communisme, les États-Unis, sûrs d'eux et de la supériorité de leur technologie militaire, enivrés par leur solitude au sommet du monde, se mirent à croire, en dépit des enseignements des fondateurs et des premiers présidents du pays, qu'ils pouvaient se permettre tous les luxes de la puissance, que leur hégémonie allait de soi et que les nations et les continents devaient *la reconnaître et s'y plier*, bref, qu'ils pouvaient policer tous les peuples de la terre et leur imposer leurs lois et leur système économique. Et si les Soviétiques avaient subi la déroute en Afghanistan, c'est parce que leur système politique, économique et militaire était vermoulu et incapable de faire face aux armements *américains* tenus par les résistants afghans.

En Afghanistan (comme en Irak d'ailleurs), les dirigeants américains pensaient en termes exclusivement militaires, le quarteron Bush-Cheney-Rumsfeld-Rice bombant d'autant plus le torse qu'ils n'avaient aucune expérience du champ de bataille. Décidément, l'Empire n'a pas d'états d'âme. Les choses sont si simples quand elles sont concoctées *in vitro* : on envahit le pays, on renverse les talibans, on installe un État à sa solde, on crie victoire et le problème est réglé. On ignore Churchill et ses avertissements, on méprise les Soviétiques et leur système ringard : nous avons, avec nous, la force et le droit – que notre volonté soit faite !

Sans doute auraient-ils dû consulter leurs propres archives dont un mémorandum interne de la CIA daté du 10 avril 1962 : ils y auraient trouvé ample matière à réflexion avant de s'aventurer dans les mirages de l'Orient. Cela vaudrait la peine de reproduire *in extenso* la page que lui consacre David Talbot dans *The Hidden History of the Kennedy Years*[7] : « En dépit de l'enthousiasme des dirigeants de la CIA en faveur d'une invasion de Cuba, les propres analystes de l'Agence étaient moins optimistes quant à l'issue d'une telle invasion. Dans un mémorandum daté du 10 avril 1962 et adressé au directeur McCone, Sherman Kent, président du Board of National Estimates de la CIA, dressa un portrait très réservé de ce qui pourrait arriver si les troupes américaines attaquaient l'île. Plus de quatre décennies plus tard, le rapport Kent exerce encore un effet saisissant et révélateur. »

« La bonne nouvelle, écrivait Kent, était que la résistance initiale des forces de Castro se dissoudrait dès les premiers jours de l'invasion. L'euphorie régnerait en même temps que Washington céderait le contrôle du pays à un gouvernement représentatif du peuple cubain. Puis la situation se détériorerait rapidement, prédisait Kent. "Une partie substantielle" des forces de Castro survivrait à l'assaut initial et "poursuivrait une résistance de type guérilla" dans l'hinterland. La majorité de la population cubaine soutiendrait la résistance contre ce qu'elle percevrait comme une tentative américaine de "réimposer sur le peuple cubain le joug de l'impérialisme yankee". L'installation d'un gouvernement pro-américain serait

---

7. Brothers, Free Press, New York, 2007, p. 105-106.

"grandement entravée par la persistance d'une résistance clandestine et terroriste dans les villes et d'une guérilla dans les campagnes". La pacification du pays, nécessaire au développement d'un régime... crédible, pourrait être retardée de façon considérable. Résultat : les forces américaines seraient forcées à "prolonger" l'occupation du territoire, et deviendraient une cible facile de la violence terroriste. Cela susciterait chez les soldats américains le besoin de recourir à "des mesures arbitraires contre la population civile", aggravant le ressentiment contre l'occupation américaine et alimentant du coup la résistance. Entretemps, l'image internationale des États-Unis souffrirait sérieusement du fait de cette action militaire unilatérale, isolerait le pays de ses alliés de l'OTAN et d'Amérique latine et renforcerait la suspicion quant à la puissance américaine dans le reste du monde. »

Remplacez Cuba par l'Afghanistan (ou l'Irak) et vous aurez le portrait exact de la réalité dans ce pays. Quant au Canada, comment, de force d'appoint engagée dans des tâches de protection et d'accompagnement dans une zone peu exposée aux combats, ses troupes en sont-elles rendues à ce point, en ce printemps 2008, où les forces de l'OTAN enregistrent, pour la première fois, plus de pertes en Afghanistan que les forces américaines en Irak[8], à se battre dans la région de Kandahar, assaillie par des talibans renforcés en permanence par des infiltrations provenant de la frontière pakistanaise ? Le processus a été imprévisible, désordonné, mais révélateur de ce que « des passions et des intérêts, du temps et des conjonctures, des bons et des mauvais conseils » (selon le mot de Bossuet en tête de ce chapitre) sont susceptibles d'engendrer. Partie avec la certitude que l'Afghanistan serait pacifié

---

8. Magazine *Le Point*, 24 juillet, 2008, p. 7.

en quelques semaines, comme durant la Grande Guerre (Allemands et Français pensaient que la guerre finirait à Noël 1914), l'OTAN, dont le Canada, par une incroyable succession de maladresses, aussi bien politiques que militaires, a été prise dans le même piège, toutes proportions gardées, que les États-Unis en Irak ou les Soviétiques en Afghanistan. « C'est après, toujours après, qu'apparaît la réalité, avec son inquiétant visage[9]. »

Comme les mesures de la valse, trois moments ont ponctué l'intervention canadienne en Afghanistan. Toutefois, alors que l'harmonie de la célèbre danse participe d'une logique qui lui est propre et qui lui confère cohérence et musicalité, le processus qui a marqué les trois périodes de la guerre afghane du Canada, chaotique et cahoteux à souhait, ne pouvait conduire qu'à de tragiques impasses et aboutir à une action contraire à ce qui était prévu initialement. Pour y mettre un peu d'ordre, si tant est que cela soit possible, nous distinguerons *le temps du politique*, de la fin de 2001 à la fin de 2003, *le temps du militaire*, de la fin de 2003 à 2005, et *le temps de l'Empire*, à compter de l'accession au pouvoir de Stephen Harper en février 2006.

Premier ministre depuis huit ans, habitué du Parlement et des ministères qu'il fréquente depuis des lustres, habile et pragmatique, Jean Chrétien ne s'encombre pas de grands sentiments ni de grandes visées politiques. En politique extérieure, c'est un disciple de Pearson et de Trudeau* : du premier, il a retenu l'idée que la guerre et la paix doivent être tributaires des instances internationales (ONU, OTAN) ; du second, il a appris que la souveraineté de l'État est le seul fondement d'une politique,

---

9. Jules Isaac, historien, en 1931, cité par Alfred FABRE-LUCE, dans *L'Histoire démaquillée*, R. Laffont, Paris, 1967, p. 135.

et son intérêt, le seul critère d'appréciation. Peu porté sur la chose militaire, ce n'est pas un va-t-en-guerre, et il tient, pour principe, que le pouvoir civil issu du Parlement exerce une autorité inaliénable sur l'instrument militaire. Décidé à réduire le déficit de l'État, il sabre le budget des armées qu'il ampute du tiers. À la suite d'une enquête établissant qu'une unité aéroportée s'était mal conduite en Somalie en 1993, il ne fit ni un ni deux, il abolit l'unité[10] malgré la croissante mauvaise humeur de l'état-major, déjà frustré de ne pas avoir participé sur le terrain à la guerre du Golfe en 1991, privé des hélicoptères et des sous-marins, achats que l'état-major réclamait à cor et à cri et qui furent renvoyés aux calendes grecques.

C'est dans ce contexte qu'eurent lieu les attentats du 11 septembre. Rappelons que le Canada démontra une solidarité sans faille avec les États-Unis et se joignit sans hésitation à l'OTAN quand celle-ci fut saisie de l'article 5 du traité de Washington requérant des États membres de venir à la défense des autres membres en cas d'agression. Mais, dès le départ, le gouvernement Chrétien délimita l'étendue et la durée de son intervention. « Tout déploiement militaire canadien en Afghanistan serait similaire à une situation en Érythrée et en Somalie dans laquelle nous avons fait partie de la première vague, nous avons contribué à la stabilisation du pays... puis nous

---

10. La promotion du chef de l'unité, le colonel Serge Labbé, au grade de brigadier-général, fut annulée en 1998 pour conduite inappropriée à la tête de ses hommes : il aurait dit qu'il avait hâte d'avoir son premier Somalien mort. Autres temps, autres mœurs : en juillet 2008, sur recommandation du général Rick Hillier (que nous retrouverons plus loin dans ce chapitre), le colonel Labbé a été promu au poste de brigadier-général avec rétroactivité à 2000 et pleine pension découlant de cette promotion. *Le temps du militaire* était arrivé !

avons passé le relais à quelqu'un d'autre[11]. » « Nous ne prévoyons pas des engagements de troupes à long terme pour l'outre-mer[12]. » Soit pour des raisons financières, soit par manque d'effectifs, le Canada étant engagé dans des missions de paix ailleurs dans le monde, il était entendu que la mission n'irait pas au-delà de six mois et impliquerait un maximum de mille soldats : « non pas une mission offensive, ni une mission combattante. C'est une mission de stabilisation destinée à ouvrir des corridors pour l'acheminement de l'aide humanitaire. Ces soldats ne sont pas appelés à entrer dans une situation de conflit ouvert. Et s'ils l'étaient, ils seraient probablement retirés[13]. » *Early in, early out!* : telle était, en clair et en résumé, la politique qui sous-tendait tout déploiement outre-mer des forces canadiennes.

Mais les Britanniques, qui commandaient les troupes européennes dans la région de Kaboul, ne voulaient pas des Canadiens dans leur secteur, prétendant que la capitale afghane relevait d'une mission exclusivement européenne. En réalité, les Européens doutaient que le Canada serait capable, avec ses effectifs réduits et ses équipements surannés, d'assurer une présence de longue durée en Afghanistan. Furieux d'avoir été écartés d'une mission de stabilisation et d'aide humanitaire qui leur aurait permis de montrer à Washington que le Canada était activement engagé dans la lutte contre le terrorisme, Eggleton et les membres du gouvernement se résignèrent

---

11. Art Eggleton, ministre de la Défense, cité par Janice G. STEIN et Eugene LANG, dans *The Unexpected War*, Viking Canada, Toronto, 2007, p. 2. Le travail d'investigation réalisé par Stein et Lang est essentiel pour comprendre le chemin accidenté de l'engagement du Canada en Afghanistan.

12. John MANLEY, ministre des Affaires extérieures, *op. cit.*, p. 7.

13. Art EGGLETON, *op. cit.*, p. 15.

finalement en imputant le malentendu à une question de politique intereuropéenne. « Ainsi, je crois que le processus de prise de décision est lié à la politique européenne[14]. »

Mais les militaires, eux, ne l'entendaient pas de cette oreille. Ils ne voulaient pas que ce qui s'était passé durant la guerre du Golfe en 1991, c'est-à-dire une intervention limitée à l'envoi de quelques navires de guerre et d'un escadron de chasseurs sans troupes sur le terrain, se répète en 2001 en Afghanistan. Si, pour des raisons politiques, ils étaient privés de Kaboul, ils allaient donc activer le réseau serré d'amitiés tissé entre le Pentagone et l'état-major canadien. Il faut souligner que cette relation privilégiée s'inscrivait dans le contexte de la défense de l'Amérique du Nord, et que, durant la guerre froide, les deux commandements militaires étaient intégrés dans la structure du NORAD*. En outre, à cause des compressions sombres dans le budget canadien, « les Forces canadiennes dépendaient de plus en plus de leurs collègues du sud de la frontière pour tout ce qui avait trait à l'équipement, à la formation, au renseignement, à la doctrine[15] ».

La route de Kaboul coupée, celle de Kandahar, au sud de l'Afghanistan, tenue par les Américains et propice aux opérations de combat, demeurait ouverte. Les officiers canadiens postés au quartier général du Central Command à Tampa (Floride) informèrent la Défense à Ottawa que les Américains voulaient des troupes canadiennes sur le terrain à Kandahar, aux côtés des troupes américaines. Quoiqu'elle ne fût confirmée ni par Colin Powell, qui n'en savait rien, ni par Donald Rumsfeld, qui

---

14. *Ibid.*, p. 17.
15. *Ibid.* p. 13-14.

ne disait rien, la nouvelle plut à Eggleton, qui y voyait une réplique à la rebuffade européenne.

On déploya donc, en février 2002, une unité de 800 soldats à Kandahar, étant entendu que leur mission durerait six mois seulement. C'était la première mission de combat depuis la guerre de Corée. Et les militaires étaient contents : « Nous ne sommes pas là pour un traditionnel maintien de la paix. Nous allons apporter sécurité et stabilité à la région[16] », déclara le chef d'état-major, le général Ray Henault. Hélas pour l'amour-propre des généraux, quand les forces canadiennes arrivèrent à Kandahar, les Américains avaient sécurisé la région, les talibans s'étant volatilisés dans la nature[17]. En juillet 2002, les soldats, inactifs, étaient prêts à rentrer chez eux. Mission accomplie : le politique et le soldat avaient accompli leur devoir de solidarité à l'égard de leurs homologues américains.

C'était sans compter avec les arrière-pensées de Washington, qui préparait la guerre en Irak et qui voulait se désengager en partie de l'Afghanistan, et les arrière-pensées des chefs militaires canadiens, qui entendaient démontrer leurs capacités au combat et qui surtout voulaient complaire au Pentagone, au risque de dévier de la politique de leur gouvernement. Le général Henault et son assistant, le vice-amiral Maddison, pressèrent le nouveau ministre de la Défense McCallum d'accepter une éventuelle requête américaine d'envoyer un autre groupe de combat en Afghanistan[18]. Pas à Kaboul, sous prétexte,

---

16. *Ibid.*, p. 19.

17. Comme l'armée de Saddam Hussein après l'entrée des troupes anglo-américaines en Irak au printemps 2003.

18. Ils réclamaient aussi une augmentation du budget militaire, l'acquisition d'hélicoptères pour la marine, des avions de transport géants Boeing C-17 Globemaster, la participation du Canada au système

prétendaient les militaires de façon inexacte, que la capitale afghane était plus dangereuse que Kandahar, qu'elle était infestée de terroristes : en réalité, les hauts gradés canadiens étaient moins à l'aise avec les Allemands (qui commandaient la région de Kaboul), les Français et les Italiens qu'avec les Américains de Kandahar avec qui ils entretenaient des rapports de fraternité militaire. De plus, disaient-ils, le Pentagone lui-même voulait les Canadiens à Kandahar, non à Kaboul. « La raison d'être de ce déploiement était d'appuyer Washington. Les défis opérationnels de Kandahar n'étaient pas discutés[19]. » Ainsi, on s'apprêtait à envoyer un régiment dans une zone dont on ne connaissait ni le terrain ni les conditions de combat… rien que pour plaire au Pentagone et assouvir les fantasmes des généraux ! Pas étonnant que Ken Calder, haut fonctionnaire de la Défense, ait dit en 2003, sans y prendre garde : « Nous ne savons rien de ce pays[20] ! »

La guerre d'Irak allait bouleverser les plans de l'état-major. McCallum rencontra Rumsfeld à Washington le 9 janvier 2003. Les manières rugueuses de Rumsfeld avaient du bon : son parler était franc et direct. Non, il ne voulait pas des Canadiens à Kandahar (les militaires canadiens disaient le contraire), il les voulait à Kaboul ; il ne voulait pas de *contribution militaire* en Irak, il se contenterait d'un *appui politique*. Rumsfeld préparait l'invasion de l'Irak et avait besoin de réduire son engagement en Afghanistan. Il demandait aux Canadiens d'aller à Kaboul et de s'occuper de pacification et de reconstruction de l'État, ce qui était davantage dans leurs cordes. Les hauts gradés canadiens voulaient de l'action :

---

américain de défense antimissiles, et surtout une participation active du Canada à une éventuelle invasion de l'Irak.

19. EGGLETON, *op. cit.*, p. 43.

20. *Ibid.*, p. 21.

d'ailleurs, Henault et ses généraux proclamaient que l'Afghanistan présentait peu d'intérêt, que les Canadiens feraient mieux de participer à l'invasion de l'Irak pour montrer leur solidarité avec leurs voisins et amis du Sud. Une fuite de source militaire publiée dans le *National Post* du 10 janvier 2003 révélait que «les planificateurs canadiens faisaient tout pour être prêts à participer à la guerre en Irak, à savoir une brigade de 3 000 soldats, comprenant de l'artillerie, de l'infanterie mécanisée et des blindés, qui combattraient aux côtés des Américains et des Britanniques[21]».

Le Canada avait l'habitude de répondre aux sollicitations de l'Empire, le voilà qu'il allait au-devant de ses désirs. Les généraux avaient-ils oublié que le gouvernement ne s'était pas encore prononcé? Ou souhaitaient-ils qu'il se prononce selon leur volonté? Tout à leur logique militaire, impatients d'en découdre, aveugles aux implications politiques d'une guerre, ils n'avaient rien appris des guerres coloniales, de la guerre du Vietnam, encore moins de la guerre en Afghanistan version soviétique. Ils calculaient en nombre de divisions, pensaient en matière de stratégies apprises à l'école de guerre: diversions, manœuvres d'enveloppement, concentration des forces sur le point faible de l'adversaire, puissance de feu, dislocation des arrières… autant de tactiques inopérantes contre des insurgés. La guerre fraîche et joyeuse, comme à l'exercice! On ne peut trop les blâmer, ils se fiaient au commandement anglo-américain. Pourtant, les Anglais et les Américains, forts de l'expérience des guerres coloniales et du Vietnam, auraient dû savoir qu'on n'envahit pas un pays sans provoquer résistances, guérillas, terrorisme, sans être pris dans l'engrenage des

---

21. *Ibid.*, p. 59.

répressions, des bavures et de toutes les saloperies d'une occupation.

«Qu'a-t-on gagné à détruire des Légions par le fer et par le feu, sinon d'en faire accourir en plus grand nombre et de plus fortes[22]?» Cependant, l'heure des militaires n'était pas encore venue. Le gouvernement du Canada opta pour la solution de Kaboul où les forces canadiennes commanderaient les troupes alliées. Cela supposait le déploiement de 2 650 soldats. Ce fut un prétexte tout trouvé pour calmer les ardeurs des militaires qui piaffaient pour aller en Irak : Kaboul court-circuita l'Irak.

À Ottawa, deux logiques s'affrontaient : les militaires ne comprenaient pas que l'autorité civile devait tenir compte d'impératifs infiniment plus complexes que leurs états d'âme branchés sur le Pentagone et fascinés par l'Empire. Leur aigreur montait à mesure qu'ils essuyaient les rebuffades des civils : compressions dans le budget, indifférence de Jean Chrétien pour la chose militaire, refus d'aller à Kandahar, pis encore, le rejet de l'option irakienne. Sans compter qu'Ottawa vivait la fin du règne de Jean Chrétien après dix ans de pouvoir, que de nouvelles équipes se mettaient en place et que les périodes de transition n'étaient pas propices aux prises de décision.

En décembre 2003, Paul Martin succéda à Jean Chrétien, et la première question importante relative à la défense à laquelle il dut faire face fut le système de défense antimissiles (DAM) : le Canada se joindrait-il à l'élaboration de ce système mis sur pied par les États-Unis ? Quoique cette question n'ait rien à voir avec la guerre en Afghanistan, la décision prise par Ottawa en la matière changea complètement la donne canadienne.

---

22. TACITE, *Histoires*, V, p. xxv.

Voulant restaurer les liens avec Washington, abîmés par l'inimitié Bush-Chrétien et par le refus du Canada de participer à la guerre en Irak, Paul Martin s'était montré favorable, durant la campagne électorale qui l'avait ramené au pouvoir, à un accord avec Washington quant au DAM. Une simple prise de position, une forme d'opinion, sans plus, qui nécessitait d'être étayée par un argumentaire que seuls les hauts fonctionnaires de la Défense et des Affaires extérieures étaient capables de produire ! D'autant plus qu'au cours d'une visite du président Bush à Ottawa, le 30 novembre 2004, et alors qu'il était entendu que la question ne serait pas soulevée en public, le président Bush, irrespectueux des usages diplomatiques, exprima son espoir de voir le Canada participer au DAM. Paul Martin, coincé entre sa volonté d'améliorer ses relations avec Washington et la méfiance d'une partie de son caucus libéral et de l'opinion publique en général à l'égard de la politique américaine, se réunit, à différentes reprises, avec les mandarins de la Défense et des Affaires extérieures, et leur soumit une série de questions relatives au DAM. Les seules réponses qu'il recevait ne traitaient pas des mérites du système ou de l'intérêt du Canada d'y participer, mais de l'éventuelle réaction de Washington en cas de refus du Canada d'y participer.

« Nous ne voulons rien faire qui puisse aliéner Washington[23] » ; « Ils craignaient que, si Ottawa disait non encore une fois (après l'Irak) à Washington, les relations Canada–États-Unis seraient affectées à tous les niveaux[24]. » Telle était, en substance, la réponse que donnaient les experts de la Défense et des Affaires extérieures au

---

23. Stein et Lang, *op. cit.*, p. 165.
24. *Ibid.*, p. 166.

premier ministre : ne pas déplaire à l'Empire, surtout ne pas déplaire à l'Empire, qu'importe que tel ou tel projet soit mal assuré ou contraire aux intérêts du Canada, et quel que soit le coût d'un projet dont nul, au demeurant, ne connaissait les tenants et les aboutissants. Exaspéré par l'inconsistance des fonctionnaires et les pressions de Washington et de l'ambassadeur Celluci, préoccupé par l'opposition grandissante de son caucus et de l'opinion publique au Canada qui assimilait le DAM (nous sommes au début de 2005) à l'administration Bush et sa catastrophique incompétence en Irak, Paul Martin décida de dire non au projet, ce qui produisit la même ritournelle de grandes déclarations de dépit des partisans de Washington.

C'est dans cette atmosphère lourde de malentendus et de rancœur, assortie du pouvoir mal assis d'un gouvernement minoritaire, affaibli en plus par le scandale des commandites, que le général Hillier devint chef d'état-major des forces canadiennes. Officier de valeur au franc-parler, il apportait avec lui une vision claire de ce que devrait être la doctrine de la Défense du Canada. L'arrivée du général Hillier à la tête de l'armée inaugurait « la transformation des troupes canadiennes en une force de combat, et une force qui s'imbriquait parfaitement dans le maillage de l'armée américaine[25] ». L'armée canadienne était hantée par « la peur morbide de n'être plus qu'une force de gardienne de la paix[26] » ayant perdu « son éthique guerrière » ; l'historien militaire Granatstein renchérissait en décrivant « l'effet dévastateur que le maintien de la paix a eu sur les militaires canadiens devenus une armée flasque[27] ».

---

25. Linda McQuaig, *op. cit.*, p. 71.
26. Selon le général à la retraite John Arch MacInnis, *ibid.*, p. 70.
27. *Ibid.*

Oubliés Pearson et sa diplomatie d'accompagnement de la paix ; oubliée la politique mesurée des Saint-Laurent, Diefenbaker, Trudeau, Mulroney, Chrétien, fondée sur l'affirmation de la souveraineté du Canada, éloignée de tout aventurisme impérial et marquée par l'esprit de reconnaissance des États à l'intérieur de l'ONU. Car, sous-jacente à cette nouvelle doctrine militaire axée sur un interventionnisme offensif, s'insinuait l'idée que les Forces canadiennes, réduites comme une peau de chagrin (selon les détracteurs de Chrétien) par les compressions budgétaires et la doctrine du *babysitting* onusien, devaient s'aligner sur l'armée américaine, formidable force de combat, aux équipements sophistiqués, à l'armement de pointe, habitée par un moral offensif à toute épreuve, prête à tout déploiement exigé par la situation mondiale, bref, une force de frappe musclée, aguerrie, ce qui s'appelle une armée en bonne et due forme !

Et qui dit alignement militaire dit alignement politique. Or, l'armée canadienne, quelles que soient ses capacités en matière de puissance de feu, est et sera toujours limitée en nombre, ne pouvant déployer outre-mer qu'un énorme maximum de deux divisions, en considérant que le pays tout entier soit habité d'un esprit impérial ! Dès lors, quel rôle assigner à cette nouvelle force de combat sinon celui de partenaire junior de la grande coalition anglo-américaine qui peut aligner, elle, des dizaines de divisions en un tournemain ? De la sorte, l'instrument militaire censé être subordonné à la politique extérieure en déterminerait la finalité. *Le militaire prenait subrepticement le pas sur le politique.* Sur le site Web[28] de la Défense nationale était publié un ouvrage de fiction, appelé *Crise à Zafra*, qui décrivait la lutte que

---

28. Site de la Défense nationale, CanadianAlly.com.

menait, à l'intérieur de la coalition, l'armée canadienne contre des insurgés dans la ville frontière de Zafra en 2025. L'armée canadienne, Hillier en tête, y avait adopté et appliqué le concept américain de «la guerre des trois blocs» contre les terroristes abrités dans les États voyous. Enfin, une campagne de publicité qui s'adressait à Washington et au public américain occultait le rôle de maintien de la paix du Canada et mettait l'accent sur le partenariat canado-américain dans la guerre contre le terrorisme.

Assailli de toutes parts pour ses maladresses, son parti miné par les divisions et le scandale des commandites, Paul Martin crut sortir de l'ornière en cédant aux pressions des militaires. Alors que, dans son esprit, l'Afghanistan ne venait qu'en quatrième position sur la liste des priorités du gouvernement après Haïti, le Darfour et le développement international, le premier ministre se rendit aux arguments du général Hillier, qui insistait sur l'urgence de la situation en Afghanistan et lui assura qu'on s'occuperait de Haïti et du Darfour le plus tôt possible. Un fait révélateur de l'emprise accrue du militaire sur le politique eut lieu à ce moment-là : en décembre 2004, quand Martin réunit ses ministres et ses collaborateurs pour discuter de la politique de défense, les militaires n'étaient pas présents ; en mars 2005, Hillier assistait à la réunion, jusque-là réservée aux autorités civiles.

«Une fois Hillier nommé à la tête des armées, la politique de défense devint presque exclusivement le domaine du leadership militaire[29].» Toujours est-il que le général Hillier promit à Martin que des troupes seraient

---

29. Stein et Lang, *op. cit.*, p. 163.

disponibles pour le maintien de la paix[30]. Croyant rassurer les Américains sur la volonté du Canada d'être à leurs côtés, et rassuré lui-même par la promesse d'Hillier que le Canada n'abandonnerait pas Haïti et le Darfour, Paul Martin accepta finalement, à la demande des militaires, d'effectuer le transfert des 2 500 soldats canadiens de Kaboul à Kandahar, un guêpier infesté d'insurgés talibans sans cesse renforcés par des éléments provenant de la frontière pakistanaise.

La décision de transférer les troupes canadiennes de Kaboul à Kandahar constitue un véritable détournement de mission dont Paul Martin porte, en définitive, la responsabilité. Il aurait dû écouter ce que disait le président Kennedy à Arthur Schlesinger : « La première chose que je dirai à mon successeur, c'est ceci : "Ne vous fiez pas aux militaires – même sur des questions militaires[31]". » « Je vous dirai quelque chose d'autre, confiait Ariel Sharon à un journaliste. J'étais général. Je sais que les généraux mentent. Ils se mentent à eux-mêmes et ils mentent aux hommes politiques[32]. »

Pire : selon John Manley, coauteur du rapport sur l'avenir de la mission canadienne en Afghanistan, « Ottawa s'est fait offrir la possibilité d'assurer la sécurité d'une région plus stable et correspondant davantage à la tradition canadienne. La Grande-Bretagne devait alors assurer la stabilité des provinces de Kandahar et d'Helmand. Le Canada a toutefois insisté pour obtenir le mandat de pacification de Kandahar, et l'OTAN a

---

30. Quelque temps plus tard, Hillier prétexta l'épuisement des Canadiens en Afghanistan pour ne pas envoyer des troupes au Darfour.
31. David Talbot, *op. cit.*, p. 148.
32. Cité par Bob Woodward, dans *The War Within*, Simon & Schuster, NY, 2008, p. 103.

accepté[33] ». Résultat : quand, deux années plus tard – caractérisées par des dizaines de soldats canadiens tués –, l'opinion publique se mit à émettre des doutes et des protestations quant au déploiement à Kandahar, le Canada ne pouvait, sous peine de paraître abandonner la partie, se dédire et renoncer à ses engagements. D'autant plus qu'entretemps Stephen Harper était devenu premier ministre, et que, pour lui comme pour le président Bush, son modèle néo-conservateur, « nous ne prenons pas un engagement pour ensuite abandonner au premier obstacle[34] », renvoyant aux propos de son homologue américain concernant l'Irak : « The US military won't cut and run ». Installé à Ottawa, le copiste[35] de la Maison-Blanche précipitait l'avènement *du temps de l'Empire*.

À sa décharge, Stephen Harper n'a jamais caché qu'il était favorable à la politique de Bush, et qu'il était entendu que, s'il devenait premier ministre, il y aurait un virage à 180 degrés de la politique extérieure du Canada. Pourtant, ce n'était pas la première fois que deux dirigeants conservateurs, l'un à Ottawa, l'autre à Washington, gouvernaient, en même temps, leurs pays respectifs. Brian Mulroney et Bush père, tous deux conservateurs, ont participé à la guerre du Golfe en 1991, mais n'ont jamais dépassé les limites d'une guerre aux objectifs bien définis. La différence avec leurs successeurs, c'est que, outre leurs affinités conservatrices, il y a entre Harper et Bush fils le ciment de l'idéologie. Alors que ceux-là se distinguaient par une vision pragmatique des relations internationales, pour ceux-ci, le monde se divisait entre démocraties et

---

33. *Le Devoir*, 26 janvier 2008.
34. Linda McQuaig, *op. cit.*, p. 75.
35. Louise Arbour, ex-commissaire aux droits de l'homme de l'ONU : « Le Canada est de plus en plus perçu comme le porte-parole des États-Unis. » *La Presse*, 4 octobre 2008.

forces du mal, et, pour anéantir les forces du mal, ces dernières devaient se placer sous la bannière des États-Unis d'Amérique.

On savait Harper proche de Bush, on ne le savait pas aussi zélé au service de l'Empire : on aurait dit la réincarnation au XXIᵉ siècle du héraut canadien de l'Empire britannique du XXᵉ siècle, Arthur Meighen. Très vite, Harper hissa ses couleurs : commande pour 15 milliards de dollars de matériel militaire *made in USA* – sans appel d'offres ; nomination à la Défense, pour la première fois dans l'histoire du Canada, d'un général à la retraite (d'habitude un civil), Gordon O'Connor, lié à l'industrie de l'armement et au lobby de la Défense ; adoption, concernant l'Afghanistan, d'un discours musclé et d'une attitude belliqueuse ; affirmation solennelle de sa volonté de se tenir, en permanence, aux côtés des États-Unis dans la lutte contre le terrorisme. Représentatif des intérêts de l'Ouest canadien, notamment de l'Alberta dont il était l'élu, grand exportateur de pétrole vers les États-Unis, il était proche, intellectuellement, des milieux d'affaires et des hauts gradés canadiens favorables à une plus grande intégration économique et militaire de l'espace canado-américain. Du pain bénit pour le président Bush, de plus en plus isolé dans le monde !

Le zèle impérial de Harper ne pouvait toutefois s'étaler au grand jour, car son gouvernement était minoritaire : c'était son talon d'Achille. Pour se maintenir au pouvoir, il devait ménager la chèvre des Prairies et le chou du Québec. Le grand écart ! S'il n'avait pas la longue expérience politique de Jean Chrétien, Harper ne manquait pas d'instinct ni d'habileté. Il réussit, par deux fois, à faire reconduire par le Parlement le mandat canadien à Kandahar, de 2007 à 2009 puis de 2009 à 2011, en se jouant de l'opposition officielle et de son chef, Stéphane

Dion, comme d'une toupie, et malgré l'agacement de l'opinion publique qui assistait, impuissante, à l'enlisement du Canada dans cette contrée inhospitalière. Qu'on était loin du *Early in, Early out*!

Aujourd'hui, plus de six ans après la chute des talibans, les attentats et les assauts des insurgés sont en augmentation, le nombre des pertes canadiennes et alliées aussi. Aucune finalité ne semble justifier la poursuite de l'opération. L'Afghanistan est, en 2008, un pays gouverné, en apparence, par un État fantoche confiné dans ses bâtiments à Kaboul; en réalité, par des seigneurs féodaux qui se livrent à toutes sortes de trafics, au vu et au su du commandement allié. Quant à la guérilla talibane, elle s'incruste dans la population, alimentée par l'arrivée continuelle de renforts du Pakistan et soutenue par la complicité de groupes pakistanais radicaux.

Selon le magazine *Le Point* du 11 septembre 2008, « on compterait 10 000 recrues depuis un an, "décemment entraînées" d'après un expert... "Ce sont de vrais professionnels de l'insurrection et de la guerre urbaine", reconnaît un officier du dispositif de l'OTAN... ils se sentent au sein du peuple comme "un poisson dans l'eau"... "Chaque bavure de l'OTAN amène des centaines de recrues dans les rangs des talibans", estime Alain Boinet, directeur de l'ONG Solidarités, très active en Afghanistan... "Celle-ci [la corruption] s'installe à tous les niveaux de l'État", juge Emmanuel Reinert, directeur de Senlis Council et spécialiste de l'Afghanistan. »

De l'aveu même de l'ancien commandant de la mission intérimaire internationale, le général David Richards, « l'OTAN a trop peu de soldats sur place pour pouvoir mener une campagne de contre-insurrection efficace. Dans le sud du pays [Kandahar], les progrès sont lents, nous n'avons pas respecté les promesses faites au peuple afghan, et la sécurité n'est pas assurée», et, ajoute Klaus Naumann, ancien chef d'état-major de l'OTAN : «Les pays membres doivent cesser de s'investir à moitié dans de tels conflits» ; quant à l'International Crisis Group, il soutient que «c'est l'illusion d'une guerre rapide et bon marché suivie d'une paix rapide et bon marché qui a mené l'Afghanistan à l'impasse actuelle...[36]» On a voulu pacifier et reconstruire l'Afghanistan avec 50 000 hommes, sans unité réelle de commandement (chaque pays choisissant sa zone de guerre), sans stratégie menée à son terme (à peine les talibans chassés de Kaboul, les Anglo-Américains ne se préoccupèrent plus que de l'Irak), et sans objectifs définis de façon précise : représailles, punition, pacification, reconstruction ? Avec 250 000 hommes, les Soviétiques n'ont pas mieux réussi en Afghanistan et, avec 150 000 hommes, les Américains connaissent les mêmes déboires et les mêmes désillusions en Irak.

«Je ne conseillerai pas à l'Allemagne de prendre une part active dans cette affaire d'Orient tant que je verrai qu'il n'y a pas le plus petit intérêt – pardonnez-moi la crudité de cette expression – valant les os d'un seul grenadier poméranien», déclarait Bismarck au Reichstag, le 6 décembre 1876. Qu'on nous dise aujourd'hui quel est, en Afghanistan, «le plus petit intérêt valant la vie d'un soldat canadien»! Et que l'on cesse d'écouter les discours creux des rhéteurs, faux dans le fond et emphatiques dans la forme : non, la liberté du monde n'est pas en jeu en Afghanistan ; non, la guerre contre le terrorisme ne sera pas gagnée à Kandahar ou à Kaboul ; non, cette guerre n'est pas celle de l'OTAN, c'est la guerre des Afghans,

---

36. Éditorial d'André PRATTE, *La Presse* du 4 novembre 2007.

« For it is their war and their country, and your time here is limited » (Lawrence d'Arabie).

L'alignement du Canada sur la politique de puissance de l'Empire, en lieu et place de la politique de mesure et de bon sens de Pearson tombée dans les oubliettes de l'histoire, a transformé les Forces canadiennes en armée d'occupation avec son lot de bavures et de répressions indignes d'une démocratie libérale, ravivé les vieux démons de la division dans le pays, grevé le budget de la Défense, altéré le renom du Canada dans le monde musulman et affaibli la position de médiateur dont le pays s'enorgueillissait depuis la Deuxième Guerre mondiale.

Nous sommes condamnés à conclure cet essai par une triste interrogation, triste parce qu'elle est sans réponse : que faire pour s'en sortir ? Et quand bien même il y aurait une réponse, elle ne dépendrait pas de nous ! Entretemps, à la fin de l'année 2008, le Canada perdait son cent-sixième soldat en Afghanistan. Pour la plus grande gloire de l'Empire !

GLOSSAIRE

BALFOUR, Arthur James : premier ministre conservateur de Grande-Bretagne (1902-1906), ministre des Affaires étrangères (1917-1919).

BISMARCK, Otto von : chancelier du roi de Prusse (1860-1870) puis de l'empereur d'Allemagne (1871-1890), il réalisa l'unité allemande à la suite de trois guerres limitées aux objectifs bien précis. Il refusa toujours de s'engager dans les conflits des Balkans, de Crimée et du Levant. Pourtant, son armée, forgée par von Roon et commandée par von Moltke, était la meilleure d'Europe. Le plus grand homme d'État du siècle post-napoléonien (1815-1914).

BORDEN, Robert : premier ministre conservateur du Canada durant la Grande Guerre, son engagement actif aux côtés de l'Empire valut au Canada une plus grande autonomie.

BRIAND-KELLOG : pacte signé le 27 août 1928 qui condamnait la guerre. Aristide Briand (France) reçut le prix Nobel de la paix en 1926, et Frank-Billings Kellog (É.-U.) en 1929.

CARTIER, George-Étienne : Père de la Confédération du Canada. Nationaliste. Représentant et porte-parole des Canadiens français.

CHAMBERLAIN, Neville : premier ministre conservateur de Grande-Bretagne (1937-1940), artisan de la politique de l'*apeasement* face à Hitler et signataire des accords de Munich en 1938.

CHURCHILL, Winston : premier ministre conservateur de Grande-Bretagne durant la Deuxième Guerre mondiale, champion de la lutte contre Hitler, il s'accrocha jusqu'au bout à l'idée d'un grand empire britannique.

DISRAELI, Benjamin : plusieurs fois premier ministre de Grande-Bretagne du temps de la reine Victoria qu'il proclama impératrice des Indes. Impérialiste et protectionniste.

EDEN, Anthony : premier ministre conservateur durant la crise de Suez (1956) dont l'échec causa sa démission et mit fin à sa carrière politique.

GLADSTONE, William : plusieurs fois premier ministre libéral de temps de Victoria. Réformiste, libre-échangiste et pacifiste, il s'opposa résolument aux politiques de Disraeli.

KING, John William Mackenzie : premier ministre libéral du Canada (1921-1930 ; 1935-1948†). Son engagement aux côtés des Alliés durant la Deuxième Guerre mondiale fit du Canada une grande puissance industrielle.

LAURIER, Wilfrid : premier ministre libéral du Canada (1896-1911). Il réussit à maintenir l'unité nationale en pratiquant une politique de compromis et de rassemblement des majorités modérées des Canadiens anglais et des Canadiens français.

LLOYD, George : premier ministre britannique (1916-1922). Artisan du traité de Versailles et de la SDN.

MACDONALD, John A. : Père de la Confédération du Canada, dont il fut premier ministre de 1867 à 1872 et de 1878 à 1891.

McCARTHY, Joseph : artisan de la chasse aux sorcières aux États-Unis, condamné par le Sénat en 1954.

METTERNICH, Klemens Lothar : homme d'État autrichien durant la première moitié du XIXe siècle. Farouche opposant des idées libérales et des nationalismes en Europe.

NASSER, Gamal Abdel : président de l'Égypte de 1952 à 1970†. Extrêmement populaire dans le monde arabe malgré ses défaites militaires contre Israël en 1956 et en 1967.

NORAD : North Air Defence, organisation de défense de l'espace aérien nord-américain (Canada–États-Unis)

OTAN : Organisation du traité de l'Atlantique Nord (Europe occidentale, Canada et États-Unis).

PAPINEAU, Louis-Joseph : nationaliste canadien-français. Chef des patriotes et de l'insurrection de 1837-1838 au Bas-Canada. Figure emblématique de l'autonomie du Canada.

PEARSON, Lester B. : diplomate et homme d'État canadien. Prix Nobel de la paix.

PITT, William, dit Le Second Pitt : premier ministre britannique de 1783 à 1801 et de 1804 à 1806†. Ennemi juré de la France et notamment de Napoléon.

RICHELIEU, Armand-Jean Du Plessis, cardinal-duc de : ministre principal de Louis XIII de 1624 à 1642†. Il fit de la France la première puissance d'Europe. Le plus grand homme d'État de l'Ancien Régime français.

SDN : Société des nations, ancêtre de l'Organisation des Nations unies.

TRUDEAU, Pierre Elliott : premier ministre canadien de 1968 à 1984 (à l'exception d'une interruption de neuf mois en 1979-1980). Il se démarqua des États-Unis par une politique extérieure fondée sur la souveraineté du Canada : désengagement partiel de l'OTAN, amitié avec Cuba, reconnaissance de la Chine communiste, dénonciation de la guerre du Vietnam et accueil des objecteurs de conscience au Canada.

WESTPHALIE, paix de : traités de Munster et d'Osnabruck qui mirent fin à la guerre de Trente Ans (1618-1648). Cette paix fonda l'ordre européen, pendant un siècle et demi, sur la reconnaissance des États.

WILSON, Woodrow : président des États-Unis de 1912 à 1920. Ses Quatorze Points sont à l'origine de la SDN et de la politique de la sécurité collective. Prix Nobel de la paix en 1919.

TABLE DES MATIÈRES

CET OUVRAGE EST COMPOSÉ EN MINION PRO CORPS 11
SELON UNE MAQUETTE RÉALISÉE PAR JOSÉE LALANCETTE
ET ACHEVÉ D'IMPRIMER EN MARS 2009
SUR LES PRESSES DE L'IMPRIMERIE MARQUIS
À CAP-SAINT-IGNACE
POUR LE COMPTE DE GILLES HERMAN
ÉDITEUR À L'ENSEIGNE DU SEPTENTRION